Juan Wesley y la reforma protestante

ENTRE LUTERO Y CALVINO

JUSTO L. GONZÁLEZ

Juan Wesley y la Reforma Protestante: Entre Lutero y Calvino

La Junta General de Educación Superior y Ministerio dirige y sirve a la Iglesia Metodista Unida en el reclutamiento, preparación, desarrollo, educación y apoyo de los líderes cristianos (laicos y clérigos) con el propósito de crear discípulos de Jesucristo para la transformación del mundo. Su visión es que una nueva generación de líderes cristianos se comprometerá fielmente con Jesucristo y se caracterizará por la excelencia intelectual, la integridad moral, el valor espiritual y la santidad de corazón y vida. La Junta General de Educación Superior y Ministerio de la Iglesia Metodista Unida sirve como defensora de la vida intelectual de la iglesia. La misión de la Junta representa la tradición wesleyana de compromiso con la educación de los laicos y de las personas ordenadas al brindar acceso a la educación superior para todas las personas.

Juan Wesley y la Reforma Protestante: Entre Lutero y Calvino

ISBN 978-1-945935-68-8

Impreso en los Estados Unidos de Norteamérica

Contenido

Presentación

El presente libro surgió de tres conferencias que fueron preparadas para ser dictadas en la Cátedra Carnahan, en el Instituto Superior de Estudios Teológicos (ISEDET) en Buenos Aires, en ocasión del quinto centenario de la Reforma Protestante, pero no se dictaron a causa de la disolución del ISEDET. Más tarde fueron dictadas, de manera algo abreviada, en el campus de Orlando del Seminario Teológico Asbury, bajo los auspicios conjuntos de ese seminario y de la Asociación para la Educación Teológica Hispana (AETH). Después fueron publicadas en tres números separados de la revista *Apuntes.* Lo que aquí se publica es en parte el texto original, pero con algunas adaptaciones a un formato y contexto algo diferentes. Por otra parte, al mismo tiempo que he hecho algunas adaptaciones, he conservado los comentarios introductorios y algunas otras referencias específicas por razones de veracidad histórica, y como un tributo final a la valiosa obra del ISEDET y de su institución predecesora, la Facultad Evangélica de Teología.

La disolución de ISEDET, además de ser trágica, es índice de la crisis mundial en la educación teológica. Por tanto, al tiempo que publico estas conferencias como tributo póstumo a una institución que sirvió a la iglesia por más de 130 años, las publico también como un llamado a la necesidad de pensar seria y atrevidamente sobre la crisis presente en la educación teológica, y las nuevas formas que esa educación ha de tomar.

Justo L. González
Decatur, GA
Agosto, 2019

Introducción

Es para mí un honor y un privilegio estar de nuevo con ustedes para la Cátedra Carnahan. La primera vez fue en el 2003, en celebración del tercer centenario del nacimiento de Juan Wesley. Hoy, años más tarde, nos preparamos para celebrar el quinto centenario del famoso episodio de la puerta de Wittenberg. Por tanto, debo comenzar agradeciendo el inaudito e inmerecido honor que se me hace al invitarme a esta ilustre cátedra por segunda vez. (¡Aunque me temo que la razón de esta segunda invitación bien puede ser la generosidad de esta institución, que me ofrece una segunda oportunidad para redimirme de la primera!)

En todo caso, aunque ésta sea sólo la segunda vez que estoy presente para esta cátedra, no fue en el 2003 que por primera vez mi vida se entrecruzó con ella. Supe de su existencia leyendo la revista *Cuadernos teológicos* a mediados del siglo pasado cuando todavía me preparaba para mis primeros estudios teológicos. Al llegar a la Universidad de Yale en el 1957, una de mis primeras conversaciones con el profesor Kenneth Scott Latourette, ya jubilado, fue acerca de su experiencia el año anterior acá en Buenos Aires, cuando dictaba la Cátedra Carnahan. Ya en el 1960 el profesor Roland H. Bainton, también de la Universidad de Yale, al dictar la Cátedra Carnahan, me había hecho leer y corregir el manuscrito que trajo consigo. En el 1973, quien dictó la cátedra fue el pastor reformado André Dumas, en cuya casa residí unos años antes, mientras estudiaba en Estrasburgo. Para completar el círculo, quien dictó esta cátedra hace tres años fue el Dr. Luis Rivera Pagán, unos de mis primeros discípulos cuando empecé a enseñar teología. Y todo eso, sin mencionar a José Míguez Bonino, amigo de toda la vida, quien además de dictar esta cátedra en el 1993, también contribuyó enormemente a darles forma no sólo a la cátedra misma, sino también a esta institución.

Por todo eso, repito, me siento altamente honrado por la invitación que se me ha hecho a estar acá con ustedes durante estos días, como parte de nuestra preparación para la celebración del quinto centenario de la Reforma, y para explorar con ustedes algo acerca de la relación entre esa Reforma y el metodismo.

1
Juan Wesley y Martín Lutero

En cuanto a la relación entre Wesley y los reformadores, durante el siglo pasado hubo toda una gama de opiniones. A un extremo, el arzobispo Nathan Soederblom afirmaba que Wesley había sido la versión anglicana de Lutero.[1] Al otro extremo, Dietrich Bonhoeffer acusaba al metodismo de ser la fuente de algunas de las principales herejías del siglo veinte.[2]

Como siempre sucede en tales casos, la realidad es bastante más compleja. Los contactos de Wesley con Lutero y con el luteranismo tuvieron lugar por dos canales principales: En primer lugar, Wesley, como todo pastor o teólogo anglicano de su tiempo, conocía las obras de Lutero, y había leído varias de ellas. Pero el otro medio de contacto que Wesley tuvo con Lutero y el luteranismo fue a través de los moravos, y Wesley siempre leyó a Lutero a través de su experiencia con los moravos.

Esa experiencia se remonta al famoso viaje transatlántico y la tormenta que llevó a Wesley a comparar su escasa fe con

1 Citado en Franz Hildebrandt, *From Luther to Wesley* (Londres: Lutterworth, 1951), 15.

2 *Cartas desde la prisión,* Junio 30, 1944.

la de los moravos que viajaban con él. En su *Diario*, Wesley cuenta cómo, aun antes de la tormenta, estableció contacto con los moravos que le acompañaban en la travesía. Así, nos dice el 17 de octubre del 1735: "empecé a aprender alemán para poder conversar con los alemanes, de los cuales hay veintiséis a bordo".[3] En Georgia, Wesley continuó sus contactos con los moravos, particularmente con el pastor August Gottlieb Spangenberg, unos meses más joven que Wesley, quien le hizo ver la necesidad de una fe personal. Según cuenta el propio Wesley en palabras frecuentemente citadas,

> él [Spangenberg] me preguntó: '¿Conoces a Jesucristo?' Yo hice una pausa y dije: 'Sé que él es el Salvador del mundo'. 'Es cierto', me respondió, 'pero, ¿sabes que él te ha salvado?' Le contesté: 'Tengo la esperanza de que él ha muerto para salvarme'. Y él añadió: 'Pero, ¿lo sabes?' Le dije: 'Sí, lo sé'. Pero me temo que eran palabras vanas".[4]

Todo esto hizo tal impacto en Wesley, que cuatro días después de regresar a Inglaterra estableció contacto con la comunidad morava en Londres a través del pastor moravo Peter Böhler, quien le había servido de consejero espiritual en Georgia. Al tiempo que, por consejo de Böhler, continuaba predicando como si tuviera fe, Wesley pasó por un período de profunda angustia espiritual. Como él mismo dice, en "bajo y

---

3 *Diario,* 17 de octubre, 1735. *Works,* 1:17. (Para todas las citan en inglés, sigo la edición de Jackson, en 14 volúmenes, que a pesar de no ser la más cuidadosa es la más fácilmente accesible. Esa edición se abreviará como *Works*. Las citas a la edición castellana editada por González dirán sencillamente *Obras*.)

4 *Diario,* 7 de febrero, 1736. *Works,* 1:23.

servil estado de esclavitud al pecado . . . peleando continuamente, pero no conquistando".[5]

Fue entonces que por fin tuvo la experiencia que él mismo cuenta, y que tanto se cita, cuando de mala gana fue a una sociedad morava en la calle de Aldersgate donde se le estaba dando lectura al Prefacio de Lutero a la Epístola a los Romanos, y sintió en su corazón lo que él llama "un extraño ardor", llegando al convencimiento de su propia salvación.

Aunque esta historia se ha contado repetidamente, hay al menos dos elementos que merecen alguna atención para nuestros propósitos aquí. El primero de ellos es que, aunque buena parte de la ortodoxia luterana lo rechazaba, el movimiento moravo era de origen luterano. Lo que se estaba leyendo cuando Wesley tuvo aquella experiencia no era el texto bíblico, sino un escrito de Lutero. El segundo es que muy probablemente el pasaje de Lutero estaba siendo leído en alemán.

Empecemos por este segundo punto. Spangenberg, Böhler, y los demás moravos que acompañaron a Wesley en aquellas luchas, eran alemanes. Fue para hablar con los moravos que le acompañaban al cruzar el Atlántico que Wesley empezó a aprender alemán. Tan pronto como pudo tras la experiencia de Aldersgate, viajó a Alemania para conocer al Conde Zinzendorf y otros líderes moravos. Según él mismo cuenta, en esa visita conversó particularmente con quienes sabían latín o inglés, pues él mismo no podía hablar el alemán con facilidad.[6] Cuando más tarde, por razones que pronto veremos, Wesley rompió con los moravos, siguió refiriéndose a ellos como "los alemanes", y algunas veces hasta como "los lobos alemanes". Pero al mismo tiempo siguió sintiendo afecto por la lengua alemana, al punto que, en un pasaje que

---

5 *Diario,* 24 de mayo, 1738. *Obras,* 11:61.

6 *Diario,* 6 de julio, 1738. *Works,* 1:110.

bien merece citarse, Wesley muestra su aprecio hacia lo alemán y lo español —y su desprecio hacia lo francés y lo escocés— diciendo que el francés es al alemán o al español lo que una gaita es a un órgano.[7]

Pero mucho más nos interesa lo primero, el papel de Lutero en la experiencia de Aldersgate. No sabemos exactamente qué parte del Prefacio de Lutero estaba siendo leído durante aquella reunión en la calle Aldersgate, pero en ese Prefacio se encuentra una afirmación que parece responder directamente a las angustias de Wesley:

> La fe es una viva e inconmovible seguridad en la gracia de Dios, tan cierta que un hombre moriría mil veces por ella. Y tal seguridad y conocimiento de la gracia divina hace al hombre alegre, valiente y contento frente a Dios y a todas las criaturas, que es lo que realiza el Espíritu Santo en la fe.[8]

El paralelismo entre la experiencia de Lutero que se encuentra tras estas líneas y lo que Wesley cuenta acerca de su propia experiencia es notable. Lutero dictó sus conferencias sobre Romanos en los años 1515 y 16, inmediatamente después de su famoso descubrimiento de la justificación por la fe. Según él mismo contaría más tarde, "aunque yo vivía como monje irreprochable, me sentía pecador ante Dios y estaba muy inquieto en mi conciencia sin poder confiar en que estuviese reconciliado mediante mi satisfacción".[9] Palabras muy parecidas al modo en que Wesley cuenta de sus días

---

7 *Diario,* 11 de octubre, 1756. *Works,* 2:387.

8 Traducción de Carlos Witthaus, en *Comentarios de Martín Lutero,* vol. 1 (Terrassa: CLIE, sin fecha), 15.

9 Citado en Roland H. Bainton, *Here I Stand: A Life of Martin Luther* (New York/Nashville: Abingdon, 1950), 65.

antes de Aldersgate, cuando vivía en "bajo y servil estado de esclavitud al pecado, . . . peleando continuamente, pero no conquistando" y cuando "en esta manera refinada de confiar en mis propias obras y mi propia justicia . . . me arrastré lentamente".[10]

Lutero continúa narrando su experiencia: "Entonces Dios tuvo misericordia de mí. . . . Empecé a entender la justicia de Dios como una justicia por la cual el justo vive como por un don de Dios, a saber por la fe." Y ahora Wesley, al escuchar de Lutero que "La fe es una viva e inconmovible seguridad en la gracia de Dios", declara que al escuchar las palabras de Lutero,

> mientras él describía el cambio que Dios obra en el corazón a través de la fe en Cristo, yo sentí un extraño ardor en mi corazón. Sentí que confiaba en Cristo, sólo en Cristo para la salvación, y recibí una seguridad de que él me había quitado todos mis pecados, aun los míos.[11]

Luego, el primer paralelismo que hay que señalar entre Lutero y Wesley está precisamente en esta experiencia común de angustia y desesperación, seguida de una nueva confianza y seguridad, no ya en la justicia propia, sino en la de Dios, y todo ello expresado en términos muy personales y dramáticos. En este punto ambos contrastan con Calvino, quien dice poco acerca de su experiencia de conversión, y nada acerca de un estado de angustia antes de esa experiencia. La autobiografía espiritual de Lutero y de Wesley repetidamente sale a la superficie en sus obras. La de Calvino, no. Pero al mismo tiempo hay que reconocer un contraste entre la experiencia de Lutero y

---

10 *Diario,* 24 de mayo, 1738. *Works,* 1:103.

11 Ibid.

la de Wesley. La angustia de Lutero surgía de su propio fuero interno, al punto que sus consejeros no la entendían. La de Wesley surgió de sus contactos con los moravos, combinados con sus fracasos en Georgia.

El segundo paralelismo que es importante señalar tiene que ver con el carácter de la teología de ambos. Cuando hace años comencé mis estudios de seminario, todos mis profesores de teología eran de tradición calvinista, y repetidamente contrastaban a Calvino, el pensador sistemático de la *Institución de la religión cristiana*, con Wesley, quien nunca hizo intento alguno de producir una teología sistemática. Según se nos decía, el genio de Calvino estaba en su teología, mientras Wesley fue más bien predicador y organizador. Pero en este punto Wesley y Lutero se asemejan, y en cierta medida se distinguen de Calvino. Lutero tampoco escribió una teología sistemática. Sus obras son principalmente comentarios bíblicos, sermones, tratados de controversia. Las de Wesley son sermones, diarios, cartas, notas al Nuevo Testamento, y piezas de controversia. Lo que es más, cuando Wesley se vio obligado a ofrecer una visión de conjunto acerca de su pensamiento que pudiera servir de guía a los líderes del movimiento que iba naciendo, lo que ofreció fue una colección de sermones. Y cuando tuvo que sistematizar su pensamiento acerca de la perfección cristiana, lo que hizo fue recopilar documentos escritos anteriormente y repasar toda la historia de sus controversias en torno a la cuestión.

Por último, cabe mencionar un tercer paralelismo que el propio Wesley señala en una carta en la que le contesta a un amigo que le pregunta cómo responder a las acusaciones que se hacen contra los metodistas, particularmente en el sentido de no sujetarse a las autoridades eclesiásticas o de ser "irregulares". En el primer párrafo, refiriéndose a los orígenes del metodismo, dice que un grupo de clérigos (entre los que se incluye el propio Wesley) que guardaban celosamente todas las reglas y órdenes de la Iglesia de Inglaterra llegaron al convencimiento de que la religión no es cosa externa, sino que consiste en "una justicia, paz y gozo que les son dados sólo a quienes son justificados por la fe". Cuando estos clérigos empezaron a predicar lo que habían descubierto, la oposición por parte de la mayoría de las autoridades eclesiásticas fue tal que tuvieron que predicar donde les fuera posible, "en una escuela, junto a un río, o en una montaña". En resumen, dice Wesley, "unos pocos irregulares dan testimonio público de esas verdades que el clero regular, con pocas excepciones, o bien suprime, o bien contradice abiertamente". En todo esto, la situación de los metodistas en Inglaterra no es muy diferente de la de Lutero en Alemania dos siglos antes. Dice Wesley:

> Supongamos que alguien invitara a un noble alemán a escuchar a Lutero predicar. ¿No es probable que su sacerdote le diría, sin pensar siquiera en si lo que Lutero decía era verdad o no: 'Señor, en todo país debe haber un orden establecido, tanto eclesiástico como civil. En Alemania existe tal orden. Usted ha nacido dentro de él. Sus antepasados lo apoyaron, y usted por su propio rango y posición ha de ser su guardián. ¿Cómo puede usted reconciliar sus obligaciones al respecto con prestarles licencia, estímulo y apoyo a principios y prácticas que contradicen el orden establecido?'".[12]

Y Wesley concluye: "Si se hubiera seguido tal razonamiento, ¿qué hubiera sido de la Reforma?"

---

12 Carta del 10 de abril, 1761. *Works,* 13:237.

En todo esto Wesley fue siempre seguidor y admirador de Lutero. Lo que es más, aproximadamente al mismo tiempo que Juan Wesley tenía su experiencia en Aldersgate al escuchar el Prefacio de Lutero a su *Comentario sobre Romanos*, su hermano Carlos tuvo una experiencia parecida al leer el comentario de Lutero a Gálatas. Sobre la base de esa experiencia de su hermano, por algún tiempo Juan Wesley repetidamente recomendó a sus seguidores que leyeran ese comentario.

Pero Wesley tenía serias dificultades con la teología de Lutero, particularmente tal como la había conocido a través de los moravos. Esas dificultades llegaron a tal punto, que cuando Wesley compiló su famosa *Biblioteca cristiana*, no incluyó en ella una sola obra ni de Lutero ni de los moravos. Y esto es aun más sorprendente si recordamos que Wesley sí incluyó un libro de William Law que había criticado fuertemente en correspondencia pública con el autor. También incluyó la vida de Gregorio López, católico español quien vivió en México, y a quien Wesley llamaba "un hombre muy santo, pero muy equivocado". Y hasta incluyó una selección de la *Guía espiritual* de Miguel de Molinos, aun cuando había declarado que la doctrina de Molinos y otros como él fue "una roca en la cual estuve en gran peligro de encallar".

La relación de Wesley con los moravos merece especial atención, pues frecuentemente se hace referencia al papel que los moravos tuvieron en los primeros años del desarrollo espiritual de Wesley, pero se dice poco acerca de sus desacuerdos con ellos, o de las razones para tales desacuerdos. Por un lado, Wesley les debía mucho a los moravos, y nunca negó la importancia que estos habían tenido en su experiencia religiosa, sino todo lo contrario. También les defendió en el 1739, al año siguiente de la experiencia de Aldersgate, contra quienes les atribuían doctrinas y opiniones que no eran las de ellos.[13] Pero por otro lado siempre se sintió algo fuera de lugar en las reuniones de los moravos, y a la postre se apartó de ellos. En una carta a su hermano Carlos en 1741, es decir, tres años después de la experiencia de Aldersgate, le decía que no estaba listo a unirse a los moravos, y daba varias razones. A la postre el distanciamiento fue casi total, y Wesley llegó a referirse a los moravos, o al menos a algunos de ellos, como "lobos alemanes".

En agosto del mismo año, menos de tres meses después de escribirle a su hermano, Wesley se dirigió directamente al conde Zinzendorf y la comunidad de Herrnhut, señalando y explicándoles sus diferencias con los moravos. En esa carta, bastante extensa, ofrece seis razones por las que se ve obligado a apartarse de un movimiento que le había ayudado en los días más difíciles de su vida, y en cuyo seno había por fin encontrado paz espiritual. Aunque Wesley no las presenta de ese modo, estas seis razones, muchas de las cuales parecen ser caricaturas o exageraciones de tendencias entre algunos moravos, giran principalmente en torno a las cuestiones de la relación entre la justificación y la santificación y del uso de los sacramentos. Poco después, Wesley y Zinzendorf tendrían una conversación que únicamente serviría para confirmar diferencias aparentemente insalvables.

---

13 Prefacio al tomo 2 de su *Diario. Works,* 1:81. Aparentemente, algunos decían que según los moravos sólo quienes no tenían duda alguna tenían la fe justificadora, y que los verdaderamente espirituales debían dejar a un lado los medios de gracia, incluso la lectura de las Escrituras. Wesley reconoce que algunos llegaron a las reuniones de los moravos enseñando semejantes doctrinas, pero declara tajantemente que tales no eran verdaderamente las opiniones de los moravos.

El comienzo mismo de la carta muestra que ya la ruptura es definitiva. Wesley dice:

> Puede parecer extraño el que alguien como yo les escriba a ustedes. Yo creo que ustedes son hijos de Dios por la fe en Jesucristo. Ustedes creen, como algunos han dicho, que yo soy 'hijo del diablo y siervo de corrupción'. . . . Lo que me propongo es decir clara y libremente lo que he visto u oído entre ustedes, en cualquier parte de su iglesia, que no parece concordar con el evangelio de Cristo.[14]

Las seis razones que Wesley da en esa carta para su desavenencia con los moravos no son todas de igual importancia. Acerca de la segunda, que tenía que ver con los grados de fe, más tarde Wesley mismo declaró que lo que allí había dicho no era correcto, y exculpó a los moravos. La cuarta es sencillamente una lista de supuestas actitudes entre los moravos que Wesley critica. Nos quedan entonces la primera, tercera, quinta y sexta.

La primera razón es el meollo de la cuestión, y tiene que ver con la relación entre la salvación y la santificación. Wesley dice que ha escuchado a los moravos afirmar que

> la salvación no implica deshacerse del pecado, limpiar el alma de todo pecado, sino sólo destruir el sistema mismo del pecado. . . . Que sí implica la libertad de los mandamientos de Dios, de modo que quien ha sido salvo por la fe no tiene obligación ni necesidad de sujetarse a ellos . . . que en el Nuevo Testamento no hay

14 *Diario,* 3 de septiembre, 1741. *Works,* 1:326.

> otro mandamiento que el de creer . . . [que] para el creyente no hay mandamiento alguno.[15]

Como corolario de esa primera razón, Wesley se queja de que los moravos se muestran demasiado dispuestos a adaptarse a la sociedad en que viven, vistiendo joyas y ropa costosa, y no reprendiendo a los pecadores por temor a las consecuencias.

Resulta claro que lo que le preocupa a Wesley es lo que él percibe como el antinomismo de los moravos, que tiene sus raíces en algunas de las expresiones de Lutero. Al reflexionar sobre su propia experiencia, y sobre su entendimiento de la justificación por la fe, Lutero había contrastado lo que él llamaba la "justicia pasiva" con la "justicia activa". La justicia activa es todo lo que el ser humano hace para alcanzar la justificación. Reflejando su propia lucha y el recuerdo de sus tiempos de angustia espiritual, Lutero sostiene que la justicia activa no nos justifica. Sus esfuerzos sólo llevan a la desesperación. Lo que justifica al ser humano no es su propia justicia, sino la justicia de Cristo, que Dios le imputa al pecador, absolviéndole de toda culpa. De ahí la famosa frase, *simul justus et peccator*—[el creyente es] a la vez justo y pecador.

En cuanto a la ley, esto implica que el creyente no está ya sujeto a la ley como mandamiento. El propósito de todo lo que podría llamarse "ley", ya sea en los libros de Moisés o en las enseñanzas de Jesús, es ante todo hacernos ver nuestro pecado y llevarnos a reposar en el evangelio de la gracia de Dios —evangelio o buena nueva que no se encuentra sólo en el Nuevo Testamento, sino también en el Antiguo. A la luz de la justicia pasiva de Dios, el mandamiento no pierde vigencia, pero sí pierde el poder de condenar. El mandamiento sigue

---

15 Ibid.

vigente, no ya como obligación que se ha de cumplir a fin de obtener la salvación, sino como llamado gozoso a servir la voluntad de Dios. La ley tiene dos propósitos principales: en el campo de lo civil, sirve para promover la justicia y el buen orden; en el campo de la fe, sirve primero para hacernos ver la necesidad del evangelio, y luego para hacernos ver quién es este Dios que nos ha justificado y cuál es su voluntad.

Dicho esto, resulta fácil ver por qué el antinomismo, al que Lutero siempre se opuso, ha sido sin embargo una presencia constante entre quienes llevan algunas de las enseñanzas de Lutero al extremo. Ya en vida de Lutero, tanto él como Melanchthon tuvieron que enfrentarse a su antiguo colega en Wittenberg Juan Agrícola. En el 1537, a veinte años escasos de los inicios de la Reforma, Agrícola publicó una serie de tratados en los que decía que la predicación de la ley no tenía lugar alguno en la proclamación del evangelio, y hasta llegó al extremo de decir que Moisés merecía la pena de muerte. Algún tiempo después Nicolás von Amsdorf y Andrés Poach retomaron las enseñanzas de Agrícola, declarando que, puesto que lo que justifica es la justicia de Dios y no la propia, el creyente no tiene que sujetarse a obediencia alguna. Por fin, en el 1577, la *Fórmula de concordia* declaró:

> Condenamos como peligrosa y subversiva de la disciplina cristiana y de la verdadera piedad la doctrina falsa según la cual la ley no ha de ser predicada . . . a los cristianos y verdaderos creyentes, sino sólo a los no cristianos y a los impenitentes.[16]

---

16 T. G. Tappert, ed., *The Book of Concord: The Confessions of the Evangelical Lutheran Church* (Philadelphia: Muhlenberg Press, 1959), 481.

Aparentemente algunos de entre los moravos, al menos como Wesley les entendía, sostenían tendencias antinomianas. Como resultado, pensaba Wesley, no eran suficientemente austeros en su vestimenta y en su trato, y se mostraban demasiado dispuestos a allanarse o transigir ante las demandas del mundo y de la sociedad. En todo caso, resulta claro por una parte que algunas de las expresiones de Zinzendorf podrían entenderse como conducentes al antinomismo, y por otra que tal no era la postura del propio Zinzendorf. En cuanto a lo primero, Zinzendorf se hizo eco del *simul justus et peccator* de Lutero, declarando que "nadie es más santo que un pecador que tiene la gracia de Dios", y hasta diciéndoles a los niños que para ser salvos primero tenían que ser pecadores.[17] Por otra parte, según Wesley nos informa, Zinzendorf respondió a las objeciones de Wesley declarando que el mandamiento todavía es válido, pero que "aquellas cosas que son mandamiento para el ser humano natural, son promesa para quienes han sido justificados".[18]

En contraste con esta primera razón, la tercera que Wesley aduce en contra de los moravos es un distanciamiento radical de algo que tanto Wesley como Lutero siempre respetaron y valoraron: los sacramentos y otros medios de gracia. Según Wesley, había escuchado a algunos moravos declarar que uno debía

> abstenerse de usar de aquellas ordenanzas que nuestra iglesia llama "medios de gracia" hasta tanto no tengan una fe tal que conlleve un corazón limpio y

---

17 Citado en Craig D. Atwood, *Community of the Cross: Moravian Piety in Colonial Bethlehem* (University Park: Pennsylvania State University Press, 2004), 51.

18 *Diario,* 3 de septiembre, 1741. *Works,* 1:326.

> excluya toda posibilidad de dudar. Y les han aconsejado que, entretanto, no escudriñen las Escrituras, no oren, no tomen la comunión. Afirman que todo esto es buscar la salvación mediante las obras, y que a menos de dejar a un lado todas estas obras nadie recibe la fe. . . . En cuanto a las ordenanzas que ustedes mencionan en particular (es decir, la oración, el comulgar y el examen de las Escrituras), [los moravos] afirman que si alguien tiene fe, no las necesita; y si no la tiene no debe usarlas.[19]

Esto es mucho más de lo que Zinzendorf jamás diría, y parecería indicar que los moravos con quienes Wesley tuvo contacto en Inglaterra habían recibido alguna influencia de grupos o enseñanzas espiritualistas —quizá cuáqueros— que veían con malos ojos todo lo que fuesen medios materiales para acercarse a Dios, incluso los sacramentos y hasta las Escrituras. Por eso resulta curioso notar que la respuesta que Wesley dice haber recibido de la comunidad de Herrnhut se ocupa sólo de los sacramentos, y dice sencillamente que nadie debe participar de ellos sin tener la fe que le da al creyente la seguridad de su salvación. Pero en todo caso la respuesta de los moravos de Herrnhut muestra que se percataban de que el punto central de la diferencia no estaba en si se debía usar o no de los sacramentos, sino más bien en cuanto al modo en que los sacramentos debían verse. Wesley estaba convencido de que se debía participar de ellos porque esto era mandato de Dios. Zinzendorf y los suyos sostenían que tal mandato, si lo hubo, ya no era válido, y por tanto la participación en los sacramentos, como la obediencia a cualquier otro mandato divino, no tenía ya vigencia obligatoria, sino que se debía participar de

19 Ibid., 328.

ellos de igual modo que se obedecen los mandamientos, en gratitud al Dios que nos ha redimido. Luego, en último análisis, la cuestión de los sacramentos era un ejemplo más de la discrepancia entre Wesley y los moravos en cuanto a la vigencia permanente de los mandatos divinos.

La quinta y sexta objeciones de Wesley a las posturas de los moravos se refieren a lo que le parecía ser un misticismo extremo y erróneo entre estos últimos. Tras un período en su juventud en que le interesaron las prácticas y los escritos de los místicos —particularmente del español Miguel de Molinos— Wesley escribió repetidamente contra el misticismo.

Puesto que la palabra "misticismo" incluye una vasta gama de sentidos, es bueno detenernos por un momento para aclarar qué es lo que Wesley entiende por ese término. Para Wesley, "mística" es la persona que pretende tener comunicación directa con Dios aparte de los medios que Dios ha provisto para ello —las Escrituras, los medios de gracia, la comunidad de la iglesia— y que además de eso también adopta una actitud pasiva ante Dios, de modo que todo lo que hay que hacer para acercarse a Dios es no hacer nada.

Cuando todavía estaba en Georgia, y poco después de traducir con gran entusiasmo un poema de Molinos, Wesley le escribió a su hermano mayor Samuel, también clérigo, acerca de lo que le preocupaba de tal misticismo. En esa carta, Wesley resumía lo que había conocido del misticismo, y le pedía a Samuel que comentara sobre ello. Juan Wesley escribe:

> Creo que la roca en la que por poco naufraga mi fe fue en los escritos de los místicos. Bajo ese término incluyo a todos los que, y solamente a aquellos, que menosprecian cualquiera de los medios de gracia.
>
> He hecho un pequeño resumen de sus doctrinas, en parte de conversaciones que he tenido, y cartas, y

en parte de sus escritores más famosos, como Taulero, Molinos, y el autor de la *Teología germánica*.

En ese "pequeño resumen", Wesley indica algunas de las doctrinas que ha encontrado entre tales místicos, y que él mismo reprueba:

> Todos los medios [de gracia] no son necesarios para todos; por lo tanto cada persona debe usar los medios, y solamente aquellos, que encuentre necesarios para sí misma. . . . Además, . . . cuando hemos alcanzado el fin, cesan los medios. . . . Habiendo conseguido el fin, los medios deben terminar. . . . No necesitan la oración pública, o ninguna otra formas externa, porque oran sin cesar. . . . No necesitan leer las Escrituras, porque ellas son solamente la carta de aquel con quien conversan cara a cara. Y si las leen de vez en cuando, no necesitan la ayuda de expositores vivos o muertos. . . . Tampoco necesitan la Cena del Señor, porque nunca dejan de recordar a Cristo en la forma más aceptable, ni el ayuno, ya que por su constante temperancia guardan un ayuno continuo. . . . En cuanto a hacer el bien, ocúpanse de sí mismos primero.[20]

Las referencias de Wesley a Molinos y a la *Teología germánica* nos ayudan a poner todo esto en contexto. La obra principal de Molinos, Guía espiritual que desembaraza el alma y la conduce al interior camino para alcanzar la perfecta contemplación, fue publicada en Roma en el 1675, y su éxito fue tal que pronto se tradujo a varios idiomas —entre ellos el inglés, en 1688. En traducción francesa, inspiró a Madame de Guyon y a François de Fénelon, cuyo quietismo fue condenado

---

20 *Obras,* 13:91-92.

por Roma en el 1699. El libro de Molinos, que aparentemente Wesley había leído antes de escribirle a Samuel, propone una forma de devoción que se desentiende no sólo de todos los medios materiales de devoción, sino también de la oración activa, dejando al alma tranquila y vacía como un papel en blanco en el cual Dios ha de escribir. La vida devota es entonces vida pasiva, dejando que Dios haga, sin hacer nada ni en el entretanto ni como respuesta a la acción de Dios. (Aunque no sabemos si Wesley estaba enterado de ello, aparentemente Molinos llevó sus doctrinas hasta sus últimas consecuencias, al punto de declarar que lo que el cuerpo haga no afecta la vida espiritual, y por tanto cayendo en el libertinaje.)

La *Teología germánica* es un pequeño libro apenas conocido hasta que Lutero lo leyó y publicó, primero en el 1516, y luego en una edición revisada en el 1518. Aparentemente lo que más atrajo al joven Lutero en la teología mística era el principio, característico de la mística alemana de entonces, de la *Gelassenheit*, que puede traducirse como una combinación de resignación, ecuanimidad, despreocupación, abandono, un soltar las amarras y dejarse ir. Lutero se había acercado al misticismo por indicación de su consejero espiritual Staupitz, quien había encontrado en el misticismo su propio camino y ahora veía a Lutero tan preocupado por la cuestión de su propia salvación que le sugirió esta mística del abandono confiado en Dios.

Al principio Lutero creyó haber encontrado allí la respuesta a sus angustias. Pero pronto el misticismo mismo le pareció insuficiente, al menos por dos razones. Una de ellas fue su propia experiencia de que mientras más trataba de abandonarse a Dios su supuesta pasividad ante Dios se convertía en una nueva obra. Otra era la tendencia de tal misticismo, por su propio ideal de la *Gelassenheit*, al quietismo, a una actitud de abandono y desinterés por los asuntos del prójimo, de la iglesia y de la sociedad. Pero aun más, lo que le preocupaba era que esta tradición mística, profundamente influenciada por la tradición platónica, y ensimismada en la contemplación espiritual, le parecía desentenderse de las Escrituras y hasta del mismo Jesucristo. Sólo dos años después de publicar su segunda edición de la *Teología germánica*, Lutero atacaba al Seudo-Dionisio, la gran figura en esa tradición, diciendo que "es enormemente dañino, pues sigue más a Platón que a Cristo. . . . En sus libros no encontrarás a Jesús; y si ya le conoces, le perderás. Hablo por experiencia propia".[21] Y más adelante diría que quienes siguen tal teología,

> dejando a un lado al Hijo, siguen sus propias ideas y especulaciones, destruyendo la majestad de Dios. . . . Hablan entonces de matrimonios espirituales en los que se imaginan a Dios como el esposo y el alma como la esposa, como si el ser humano en esta carne de corrupción pudiera relacionarse y asociarse directamente con Dios, sin mediador. . . . En esta teología estuve enredado, de lo que resultó grave daño para mí.[22]

Wesley concuerda con Lutero en cuanto a la necesidad de rechazar tal misticismo. Hay que rechazarlo por una parte porque le resta importancia a la encarnación, y por otra porque se desentiende de los medios de gracia. No olvidemos que para Lutero la comunión y la presencia de Cristo en ella eran cuestión tan importante que por esa sola razón se negó a establecer alianza con Zwinglio. Ni olvidemos tampoco que para

---

21 *La cautividad babilónica de la iglesia,* Edición de Weimer, 6:563.

22 Citado en P. Drews, *Disputations Dr. Martin Luthers* (Göttingen: Vandenhoek, 1895), 2:744.

Wesley esa misma comunión era tan importante que de ser posible buscaba comulgar todos los días.

Hay otros dos puntos en los que las objeciones de Wesley son más fuertes que las de Lutero. El primero es la dimensión social de la obediencia cristiana. Wesley objeta contra el misticismo porque tiende a olvidarse del prójimo y sus necesidades —tema que era de suma importancia para él, como puede verse abundantemente en sus escritos sobre la esclavitud y sobre los malos manejos de la economía.

Pero la principal objeción de Wesley a lo que llama misticismo son sus tendencias antinomianas. Lo que Wesley no puede soportar del misticismo moravo, tal como él lo entiende, es la aseveración de que quien cree en Jesucristo queda libre de la obligación de la ley. Por eso, al final de su carta a Herrnhut, tras presentar todas sus objeciones, lo que les pide es que "expurguen de entre ustedes la levadura del antinomismo, que de tal modo les ha infestado".[23]

La controversia continuó a todo lo largo de la vida de Wesley. Cuando hoy leemos lo que Wesley decía y pensaba acerca de los moravos, de inmediato notamos que su descripción de las doctrinas y de la vida de los moravos es una grotesca caricatura, y que los moravos a quienes él se refiere parecen ser personajes distintos de los que conocemos por la historia. También los teólogos de la ortodoxia luterana que florecía en aquel tiempo se hicieron caricaturas del movimiento moravo, que en fin de cuentas era luterano, y lo declararon hereje. Eso sería tema para otro estudio. Pero lo que me interesa aquí, al tratar acerca de Wesley y su relación con Lutero, es que Wesley conoció y leyó a Lutero a través del lente de su experiencia con los moravos.

---

23 *Diario,* 3 de septiembre, 1741. *Works,* 1:335.

Posiblemente la prueba más palpable de ello sea la diferencia entre lo que Wesley pensó al principio de su carrera y lo que dijo después acerca del comentario de Lutero a la Epístola a los Gálatas. Como vimos al principio, ese comentario tuvo un papel importante en el proceso mediante el cual Carlos Wesley llegó a una experiencia semejante a la de Juan en Aldersgate. En parte por recomendación de Carlos, Juan Wesley a su vez recomendó repetidamente la lectura de este libro. Pero en su *Diario* para junio del año 1741, tres años después de la experiencia de Aldersgate, y tras amarga controversia con los moravos, dice:

> Salí para Londres y en el camino leí el famoso libro, *Los comentarios de Martín Lutero sobre la Epístola a los Gálatas.* Quedé completamente avergonzado. ¡Cuánto había estimado yo ese libro, sólo porque había oído las recomendaciones hechas por otros! O a lo más, porque había leído algunas excelentes porciones citadas del libro. ¿Pero qué puedo decir ahora que lo juzgo por mí mismo, que lo veo ahora con mis propios ojos? Porque el autor no sólo no dice nada, no aclara ninguna dificultad de importancia, sino que también es muy superficial en sus comentarios sobre muchos pasajes, borroso y confuso en casi todos. También está profundamente teñido con misticismo de principio a fin, y por lo tanto profundamente equivocado. Además, ¡con cuánta blasfemia habla de la ley de Dios! ¡Constantemente juntando la ley con el pecado, la muerte, el infierno o el diablo! ¡Y enseñando que Cristo nos libera de todos ellos por igual! Mientras que en realidad es tan posible probar por medio de la Escritura que Cristo "nos libera de la ley" como que nos libera de la santidad o del cielo. Aquí me parece está la real

> causa del gran error de los moravos. Ellos siguen a Lutero, para bien o para mal. De ahí su "sin obras, ni ley, ni mandamientos".[24]

No es este el lugar para dirimir la cuestión de hasta qué punto Wesley estaba justificado en su crítica tanto de los moravos como de Lutero. Cualquier moravo que sepa algo de su propia tradición religiosa, y cualquier luterano que sepa algo de la suya, fácilmente podrán mostrar que en todo esto Wesley no les hace justicia ni a los moravos ni a Lutero. Sencillamente a modo de ejemplo, cabe señalar que Wesley acusa a los moravos de no ocuparse del prójimo ni de compartir su fe, cuando el hecho es que los moravos fundaron orfanatos, escuelas y muchas otras agencias de servicio social, y que, si se toma en cuenta el número de sus seguidores, emprendieron una labor misionera nunca igualada en toda la historia de la iglesia.

Lo que me importa señalar aquí es que, con razón o sin ella, Wesley veía en Lutero y en los moravos tendencias antinomianas, y el peligro de que se subrayara tanto la experiencia de la justificación por la sola gracia de Dios que se dejara a un lado todo el proceso de santificación que es secuela necesaria de la experiencia de justificación.

Casi cincuenta años más tarde, en octubre del 1787, y por tanto poco más de tres años antes de morir, Wesley decía en un sermón:

> Con frecuencia se ha señalado que muy pocas personas han alcanzado una posición clara con respecto a la justificación y a la santificación. Son muchos los que han hablado y escrito admirablemente bien acerca de la justificación sin tener una idea clara, es más, ignorando

---

24 *Diario,* 12 de junio, 1741. *Obras,* 11:145-46.

> por completo, la doctrina de la santificación. ¿Acaso alguien ha logrado escribir con más acierto que Martín Lutero acerca de la justificación por la sola fe? Y, sin embargo, nadie más ignorante que él acerca de la doctrina de la santificación, o con ideas más confusas al respecto. Para convencerse de ello más allá de toda duda, basta analizar objetivamente su tan mentado comentario a la Epístola a los Gálatas. Por otra parte, muchos escritores de la iglesia romana . . . que han escrito fervorosamente y con fundamentos bíblicos acerca de la santificación, desconocieron por completo la naturaleza de la justificación. . . . Pero quiso Dios dar a los metodistas un conocimiento claro y cabal de cada una de ellas, y de la enorme diferencia que existe entre una y otra.[25]

Justificación y santificación: he ahí los dos polos que Wesley busca coordinar. Antinomismo y legalismo: he ahí los dos extremos que busca evitar. ¿Cómo afirmar ambos polos? ¿Cómo evitar ambos extremos?

En la respuesta de Wesley vemos la influencia de Juan Calvino. Es a esto que dedicaremos el próximo capítulo.

---

25 *Sermón* 107. *Obras,* 4:207-7.

2
Juan Wesley y Juan Calvino

En el capítulo anterior tratamos sobre la influencia de Lutero sobre Juan Wesley, empezando por la experiencia de Aldersgate, que tuvo lugar cuando Wesley escuchaba la lectura de un escrito de Lutero, y llevándonos por fin, a través de los moravos, al fuerte rechazo de lo que Lutero decía en su comentario sobre Gálatas, llegando hasta a acusarle de tendencias antinomianas.

Pero es imposible hablar de la Reforma Protestante sin referirnos al más conocido e influyente teólogo de esa reforma, Juan Calvino, y al modo en que Wesley se relacionó con sus doctrinas. Esto resulta tanto más importante por cuanto repetidamente escuchamos hablar del contraste entre Wesley y Calvino, al punto de pensar que Wesley rechazaba absolutamente todas las principales enseñanzas del Reformador de Ginebra.

Por eso resulta sorprendente, al leer los escritos de Wesley, ver con cuán poca frecuencia Wesley critica a Calvino. Lo que es más, casi todas esas críticas tienen poco que ver con cuestiones doctrinales, y se refieren principalmente al modo en que Calvino trató a Serveto. Entre muchos otros pasajes que podríamos citar, quizá el más claro sea lo que Wesley escribió en su *Diario* en 1741, poco más de tres años después de la experiencia de Aldersgate. Dice Wesley:

> Estando en la Biblioteca Bodleiana, me topé con el informe de Calvino acerca del caso de Miguel Serveto, en el que incluye varias de las cartas de Serveto. En ellas ocasionalmente Serveto declara: "Creo que el Padre es Dios, que el Hijo es Dios, y que el Espíritu Santo es Dios". Pero el señor Calvino le pinta como un monstruo que nunca fue —arriano, blasfemo, y tanto más. Además de adornarle con flores tales como "perro, diablo, cerdo", y otras parecidas. Pero a pesar de eso niega haber sido la causa de la muerte de Serveto. "No", dice él, "yo solamente les aconsejé a los magistrados que, puesto que tenían el derecho de refrenar a los herejes mediante la espada, arrestaran y juzgaran al heresiarca. ¡Pero después que fue condenado, no dije una sola palabra acerca de su ejecución!"[1]

En su crítica a la actuación de Calvino en el caso de Serveto, son al menos dos puntos los que más parecen molestarle a Wesley. Uno de ellos es que, según Wesley interpretaba los acontecimientos, la acusación misma contra Serveto era falsa. Wesley mismo no parece haber conocido directamente el pensamiento de Serveto, pero sí repite varias veces las palabras de Serveto que Calvino cita, en las que afirma creer que el Padre es Dios, que el Hijo es Dios, y que el Espíritu Santo es Dios. Para Wesley, esto quería decir que, aunque no usara el término "Trinidad", Serveto sí creía todo lo que es necesario creer acerca del Padre, del Hijo y del Espíritu Santo, y que por tanto declararle hereje había sido una injusticia.

---

1 *Diario,* 9 de julio, 1741.

Y esta creencia nos lleva al segundo punto que molesta a Wesley respecto al caso de Serveto. Es decir, es una insistencia injustificada en los detalles de doctrina, sobre todo en la ortodoxia literalista, que lleva a una falta de caridad reprensible. Según el testimonio de Calvino que Wesley leyó, a Serveto se le condenó porque, aunque afirmaba la divinidad del Padre, del Hijo y del Espíritu Santo, se negaba a usar los términos "Trinidad" y "persona", por no encontrarlos en la Biblia. Sobre esto Wesley comenta: "Creo que 'persona' y 'Trinidad' son muy buenos términos. Pero resulta demasiado duro ser quemado vivo por no usarlos".[2] Y en un sermón declara, respecto a los mismos términos: "Yo los uso sin escrúpulo alguno, porque no conozco otros mejores. Pero si alguien siente escrúpulos acerca de su uso, ¿quién le obligará a usarlos? Yo no puedo. Y mucho menos le quemaría vivo".[3]

En otras palabras, lo que Wesley condena en la acción de Calvino y de los magistrados ginebrinos es la falta de lo que en un famoso sermón él mismo llamaría "el espíritu católico". Allí dice Wesley:

> Pero aunque una diferencia en cuanto a opiniones o modo de adoración puede impedir una unión externa completa, ¿es necesario que impida nuestra unión en los afectos? Aunque no podamos pensar igual, ¿no podemos acaso amarnos igualmente? ¿No podemos ser de un mismo corazón, aunque no podamos ser de una misma opinión? Sin ninguna duda, podemos. En esto, todos los hijos de Dios pueden unirse, a pesar de estas diferencias menores. Estas pueden quedar tal

---

2 *Some Remarks on "A Defence of the Preface . . . of Aspasio Vindicated",* 6. *Works,* 10:350-51.

3 Sermón 55.4. *Works,* 6:200-201.

como están, y los creyentes pueden estimularse unos a otros en el amor y las buenas obras.[4]

Pero basta de Serveto. El punto que quiero subrayar es sencillamente que el motivo de la gran mayoría de las críticas de Wesley a Calvino es el caso de Serveto, y no, como podríamos pensar, algún punto de doctrina. Dejemos entonces a Serveto, siguiendo el consejo del propio Wesley, quien declara: "Creo que Calvino fue un gran instrumento de Dios, y que fue un hombre sabio y piadoso. Pero tengo que aconsejarles a quienes aman su memoria que se olviden de Serveto".[5]

Siguiendo entonces el consejo de Wesley, y dejando a un lado las repetidas referencias de Wesley al caso de Serveto, vemos que la inmensa mayoría de las referencias de Wesley a Calvino son positivas. En algunos casos, Wesley toma el ejemplo de las acciones y obra de Calvino como justificación y apoyo a sus propias prácticas. Tal sucede, por ejemplo, cuando se le critica por permitirles a los laicos (y laicas) predicar. A tales críticas Wesley responde, tras referirse a los tiempos bíblicos, con el ejemplo de Calvino. Dice él:

> Si venimos a tiempos posteriores: ¿El Sr. Calvino fue ordenado? ¿Era sacerdote o diácono? ¿Y no eran laicos la mayoría de los que plugo a Dios usar para propagar la Reforma? ¿Podría esa gran obra haberse propagado en tantos lugares si los laicos no hubieran predicado?[6]

---

4 Sermón 39.4. *Works,* 5.493.

5 *Some Remarks on "A Defence of the Preface . . . of Aspasio Vindicated"*, 6. *Works,* 10:351.

6 *Un nuevo llamado a personas razonables y religiosas.* 2.3.12. *Obras,* 6.341.

Empero no es sólo en asuntos prácticos como la predicación laica que Wesley apela a Calvino. También lo hace respecto a cuestiones teológicas y doctrinales. A un nivel general, al referirse a las doctrinas de la Reforma Protestante, Wesley repetidamente se refiere a "Lutero y Calvino", y no parece tener intención alguna en menoscabar la autoridad teológica de Calvino. Y lo mismo se ve en casos más particulares; por ejemplo, cuando, en uno de sus sermones, trata acerca de cómo la justicia de Jesucristo le es imputada al creyente, Wesley se refiere repetidamente a la *Institución de la religión cristiana* de Calvino, citándola con aprobación.[7]

El conflicto de Wesley no es particularmente contra Calvino, sino más bien contra el calvinismo tal como se le definía en la Inglaterra del siglo dieciocho. Ese calvinismo, al tiempo que ciertamente seguía las doctrinas de Calvino, se definía a sí mismo en términos teológicos que no fueron los que distinguieron a Calvino en su tiempo. Esos puntos de definición del calvinismo en tiempos de Wesley se resumen en los cinco famosos puntos del Sínodo de Dordrecht (1619), más tarde incorporados en la Confesión de Westminster (1646): la elección incondicional de los predestinados por parte de Dios, la expiación de Jesucristo limitada únicamente a estos predestinados, la corrupción total del género humano, la gracia irresistible y la perseverancia de los santos. Cinco puntos de desacuerdo entre el calvinismo ortodoxo y el arminianismo que Wesley defendía.

Es a esas doctrinas que Wesley se refiere al tratar sobre el "calvinismo", y esas son las que rechaza categóricamente. Aparentemente el tema de la expiación limitada —es decir, que Cristo murió sólo por los electos— le parece tan ridículo que apenas se ocupa de rechazarlo, y que en ocasión lo trata

---

7 *Sermón* 20. *Obras,* 1:397-416.

con algo de humor. Así, respondiendo a un tratado del obispo Lavington en el que este pretendía que el metodismo no era sino un papismo disfrazado de protestante, Wesley dice:

> usted declara en su sexto argumento, por lo que valga, que "otra tendencia [entre los metodistas] al papismo se ve en su pretensión de que una sola gota de la sangre de Cristo basta para la expiación de todos los pecados del mundo entero. Y, aunque esto suene muy pío, es absolutamente falso y papista". Señor, esto es pura invención suya. Sería una lástima no permitirle disfrutar de ella.[8]

En cuanto a la depravación total, aunque Wesley sostenía que aun después de la caída todavía había en el ser humano un vestigio de la imagen de Dios, no parece haberle interesado demasiado defender al ser humano contra la acusación de una corrupción profundamente arraigada. Al contrario, en sus escritos se encuentran aseveraciones tales como la siguiente, tomada de uno de sus sermones:

> Somos llamados a andar, primero, "con toda humildad"; . . . a ser profundamente sensibles de nuestra propia indignidad, de la depravación universal de nuestra naturaleza (en la cual 'no mora el bien'), inclinada a toda maldad, opuesta a todo bien, en cuanto estamos no sólo enfermos sino muertos en delitos y pecados, hasta que Dios sopla sobre los huesos secos, y crea vida mediante el fruto de sus labios.[9]

Quedan entonces otros tres puntos que Wesley discute repetidamente. En su *Diario* para 1743, encontramos un resumen

---

8 *Second Letter to Bishop Lavington,* 46. *Works,* 9:56.

9 *Sermón* 74.21. *Obras,* 4:60.

de su respuesta a estos tres puntos. Es un texto que merece citarse como expresión de la postura de Wesley respecto al calvinismo, pero también como ejemplo del modo insidioso en que el etnocentrismo y el clasismo se introducen en la teología —tema que no podemos seguir ahora, por no desviarnos del argumento, pero que bien merece consideración aparte. Dolido por sus crecientes diferencias teológicas con Jorge Whitefield, uno de sus más cercanos amigos desde tiempos del "Club Santo" en Oxford, quien ahora defendía el calvinismo al estilo de Dordrecht y Westminster, Wesley escribió:

> Habiendo tenido por algún tiempo el deseo de reunirme con el Sr. Whitefield y en lo posible cortar cualquier disputa innecesaria, puse por escrito mis sentimientos, tan simplemente como pude, en los siguientes términos:
>
> Hay tres puntos en debate: (1) la elección incondicional; (2) la gracia irresistible; (3) la perseverancia final.
>
> En relación a lo primero, la elección incondicional, creo:
>
> Que Dios, antes de la creación del tiempo, eligió incondicionalmente a ciertas personas para hacer ciertas obras, como a Pablo para predicar el evangelio;
>
> Que él ha elegido incondicionalmente a algunas naciones a escuchar el evangelio, como Inglaterra y Escocia ahora y a muchas otras en el pasado;
>
> Que él ha escogido incondicionalmente a algunas personas con muchas ventajas peculiares, con relación a cosas temporales y espirituales;
>
> No niego (aunque no puedo probarlo):
>
> Que él ha elegido incondicionalmente a algunas personas, por tanto eminentemente nombradas, para gloria eterna;

Pero no puedo creer:

Que todos aquellos que no son elegidos para gloria deben perecer eternamente; o

Que haya un alma sobre la tierra que no haya tenido ni tendrá una posibilidad de escapar la maldición eterna.

En relación al segundo punto, la gracia irresistible, creo:

Que la gracia que trae fe y por lo tanto, salvación para el alma, es irresistible en ese momento;

Que la mayoría de los creyentes pueden recordar algún momento cuando Dios les convenció irresistiblemente del pecado;

Que la mayoría de los creyentes una que otra vez encuentran a Dios actuando irresistiblemente sobre sus almas;

No obstante, creo acerca de la gracia de Dios que antes y después de tales momentos, puede ser y ha sido resistida; y

Que en términos generales ésta no actúa irresistiblemente, pero que podemos estar o no de acuerdo sobre esto.

No niego:

Que en aquellos eminentemente nombrados, "los elegidos" (si los hubiera), la gracia de Dios es tan irresistible que ellos no pueden hacer otra cosa que creer y finalmente ser salvos.

Pero no puedo creer:

Que todos aquellos en quienes la gracia de Dios no se manifiesta irresistiblemente deben ser condenados; o

Que haya un alma sobre la tierra que no tiene o nunca ha tenido, ninguna otra gracia que la que de

> hecho sólo aumenta su condenación, y que tal cosa sea el plan de Dios;
>
> En relación al tercer punto, la perseverancia final, me inclino a creer:
>
> Que hay un estado accesible en esta vida, del cual el humano no puede finalmente caer; y
>
> Que ha obtenido esto quien es, según dice San Pablo, "nueva criatura"; esto es, quien puede decir "las cosas viejas pasaron; he aquí, todas son hechas nuevas".
>
> Y no niego:
>
> Que todos aquellos eminentemente llamados "los elegidos" infaliblemente perseverarán hasta el final.[10]

Podría decirse mucho acerca de este pasaje. Pero al leerlo en su totalidad lo que se nota es que, al tiempo que Wesley rechaza el calvinismo estricto de Dordrecht, está dispuesto a dejar varias cuestiones pendientes y sin solución final. Claramente, Wesley rechaza la predestinación incondicional y la gracia irresistible como necesarias para la salvación, lo cual implicaría que quienes no creen han sido predestinados por Dios para condenación. Pero sí está dispuesto a aceptar la predestinación en el sentido de que hay personas a quienes Dios ha predestinado para ciertas tareas. Y, más todavía, está dispuesto a dejar abierta la posibilidad de que haya ciertas personas predestinadas para salvación. Lo que no puede aceptar es que haya personas predestinadas a condenación. En cuanto a la gracia irresistible, su postura es la misma: sí hay momentos en que la gracia es irresistible; y, si acaso es verdad que Dios predestina a unas pocas personas para salvación, aunque sin condenar a las demás, esas mismas personas recibirán una gracia irresistible. Por último, en cuanto a

10 *Diario,* 23 de agosto, 1743. *Obras,* 11:192-193.

la perseverancia de los santos, Wesley está dispuesto a afirmarla, aunque no para todos los creyentes, sino solamente para quienes han llegado a cierto nivel en el proceso de santificación. Y también, naturalmente, en el caso de que Dios de hecho predestine a ciertas personas especiales para la gloria (lo cual Wesley no afirma, pero sí ve como una posibilidad), tales personas han de perseverar, pues de otro modo su predestinación no se cumpliría.

No cabe duda entonces de que, en la disputa entre calvinistas y arminianos, Wesley está firmemente en el campo arminiano. Pero lo que sorprende al leer los escritos de Wesley es que, aun en medio de esa controversia, y a pesar de su carácter apasionado y su espíritu frecuentemente inflexible, Wesley muestra más tolerancia que la mayor parte de sus contemporáneos, tanto arminianos como calvinistas. Para probarlo basta citar la conclusión del propio Wesley a su tratado, *¿Qué es un arminiano?* Tras aclarar y puntualizar las diferencias entre arminianos y calvinistas, Wesley exhorta:

> Que nadie levante la voz en contra de los arminianos antes de saber lo que esa palabra significa. Recién entonces sabrá que los arminianos y los calvinistas están en el mismo nivel. Los arminianos tienen tanto derecho a estar enojados con los calvinistas como los calvinistas con los arminianos. Juan Calvino era un hombre estudioso, piadoso y sensato, al igual que Jacobo Arminio. Muchos calvinistas son personas estudiosas, piadosas y sensatas, igual que muchos arminianos. La única diferencia es que los primeros sostienen la doctrina de la predestinación absoluta, y los últimos, la predestinación condicional.

Y continúa diciendo:

> Una última palabra: ¿No es deber de todo predicador arminiano, primeramente, no utilizar nunca, en público o en privado, la palabra *calvinista* en términos de reproche, teniendo en cuenta que esto equivaldría a poner apodos o calificativos? Tal práctica no es compatible con el cristianismo ni con el buen criterio ni con los buenos modales. En segundo lugar, ¿no debería hacer todo cuanto esté a su alcance para impedir que lo hagan quienes lo escuchan, demostrándoles que constituye a la vez un pecado y una tontería? ¿No es, asimismo, deber de todo predicador calvinista, primeramente, no utilizar nunca, en público o en privado, durante la predicación o en sus conversaciones, la palabra *arminiano* en términos de reproche? Y en segundo lugar, ¿no debería hacer todo cuanto esté a su alcance para impedir que lo hagan quienes lo escuchan, demostrándoles que se trata de un pecado y una tontería al mismo tiempo?[11]

En conclusión, aunque en los debates entre calvinistas y arminianos Wesley se plantaba firmemente en el campo arminiano, no creía que tales debates debieran ser motivo para romper la comunión, y estaba dispuesto a considerarlos cuestión de opinión más bien que de doctrina —opinión importante, sí, pero siempre opinión.

Pero hay más. Por mucho que nos sorprenda hay que decir que en más de un sentido Wesley fue calvinista. Es cierto que en los términos en que se definía el "calvinismo" en el siglo dieciocho, como lo opuesto al arminianismo, Wesley no era

11 *Obras,* 8:429. *Works,* 10:360-61.

calvinista. Pero si volvemos a tiempos de la Reforma, y entendemos el calvinismo como se entendía entonces, Wesley era indudablemente calvinista.

Me explico: El calvinismo del siglo dieciocho no era lo mismo que el Calvino del dieciséis. Aunque el calvinismo ortodoxo del Sínodo de Dordrecht y de la Confesión de Westminster ciertamente encuentra fundamento en Calvino, al centrar la teología del Reformador de Ginebra en la cuestión de la predestinación, tiende a eclipsar otros elementos importantes de esa teología.

En primer lugar, en cuanto a la predestinación. Aunque hoy pensamos que se trata de una doctrina típicamente calvinista, lo cierto es que Lutero también la sostuvo. Lo que es más, también la sostuvieron distinguidos teólogos católicos, encabezados en Salamanca por Domingo Báñez, y en Lovaina por Miguel Bayo. Por tanto en tiempos de la Reforma la definición del calvinismo, o de la teología reformada, tenía poco que ver con la predestinación. Cuando, en el 1552, el teólogo luterano Joachim Westphal llamó la atención hacia las diferencias entre las doctrinas de Calvino y las de Lutero, su crítica de Calvino no tenía nada que ver con la predestinación, sino que giraba en torno a la presencia de Cristo en la eucaristía.

A diferencia de Lutero, quien sostenía la presencia real y física del cuerpo y la sangre de Jesucristo en el pan y el vino de la comunión, y de Zwinglio, quien tendía a pensar que se trataba más bien de recordatorios, señales o símbolos de esa presencia, Calvino prefiere hablar de una presencia real, pero espiritual. Al decir "espiritual", esto no quiere decir que no sea real. Al contrario, la presencia de Cristo es espiritual porque en la comunión, en virtud del poder del Espíritu Santo, somos trasladados a la presencia de Cristo, y participamos del banquete prometido para el día final. Este concepto es lo que se ha dado en llamar el "virtualismo" de Calvino, pues la presencia de Cristo tiene lugar en "virtud", o por el poder, del Espíritu Santo.

Esto no le resta importancia ni eficacia a la comunión, que Calvino hubiera querido continuar celebrando al menos todos los domingos, como había sido siempre costumbre de la iglesia. Fue sólo por determinación del gobierno de Ginebra, donde todavía se sentía la influencia de las doctrinas del ya difunto Ulrico Zwinglio, que en Ginebra se celebraba la comunión con menos frecuencia.

En todo caso, la gran diferencia entre luteranos y calvinistas en los debates de la segunda mitad del siglo dieciséis estaba en cómo entender la presencia de Cristo en la comunión. Esto quedó eclipsado en el siglo diecisiete gracias a los debates en torno al arminianismo y la predestinación. Pero la influencia de Calvino en Inglaterra fue tal que en tiempos de Wesley la inmensa mayoría de los teólogos anglicanos, tanto calvinistas como arminianos, entendían la comunión siguiendo los lineamientos de Calvino.

Es por esto que Wesley insistía en participar de la comunión al menos todos los domingos, y de ser posible con mayor frecuencia. Es por eso que por largo tiempo les prohibió a las sociedades metodistas reunirse el domingo, pues el propósito de sus reuniones no era substituir el culto eucarístico del domingo, sino más bien prepararse para él. Y es por eso que, al tiempo que la devoción de Wesley era profundamente eucarística, en sus escritos no encontramos sugerencia alguna de que el pan y el vino vengan a ser cuerpo y sangre, pero tampoco de que el pan y el vino sean meros símbolos de ese cuerpo y esa sangre. Así, en un tratado en el que va citando un catecismo romano y comentándolo, dice, por una parte, que "no se puede inferir de las palabras de Jesús, 'Esto es mi cuerpo', que la substancia del pan se transforme en la substancia del cuerpo de Cristo". Y, por otra, que "Nuestro Salvador apeló a los sentidos de sus discípulos. . . . Si nos deshacemos de la certeza de los sentidos, perdemos el discernimiento entre el cuerpo y el espíritu; y si aceptamos [la doctrina de la] transubstanciación perdemos ese discernimiento de los sentidos".[12]

En resumen, en la Inglaterra de tiempos de Wesley no sólo los "calvinistas" eran seguidores de Calvino, sino que también lo eran quienes se llamaban "arminianos", así como la mayoría de quienes no tomaban ninguno de esos dos partidos. Lo que había ocurrido en el siglo anterior, tanto en Dordrecht como en Westminster, era la reducción de la teología de Calvino a un sistema rígido en el cual todo giraba en torno a la predestinación y la gracia irresistible. Pocos de quienes en el siglo dieciocho se llamaban "calvinistas" subrayaban la doctrina eucarística de Calvino, con el resultado de que en este punto la teología reformada, dejando a Calvino a un lado, se inclinó cada vez más hacia la postura de Zwinglio. Lo que es más, el énfasis en la predestinación por parte de los calvinistas, y en el libre albedrío por parte de los arminianos, llevó a un reduccionismo en el que prácticamente lo único que se discutía era cómo se es salvo, cuando Calvino había dicho bien claramente que la fe cristiana no se puede reducir a un modo de alcanzar la salvación. Aun en cuanto a la predestinación misma, entre Calvino y el calvinismo ortodoxo de Dordrecth y de Westminster hay una diferencia marcada. Lo que para Calvino había sido una agradecida expresión de la gracia inmerecida de Dios, y una negativa a darse a sí mismo crédito por su propia fe, en el calvinismo vino a ser el resultado de especulaciones filosóficas acerca de la relación entre la omnisciencia y omnipotencia de

---

12 *Works,* 10:118, 119.

Dios, por una parte, y la supuesta libertad humana por otra. En una palabra, ¡Calvino no fue calvinista!

Volviendo al siglo dieciséis, y a las diferencias entre la tradición luterana y la reformada, podemos señalar que, además del tema repetidamente discutido de la presencia de Cristo en la comunión, hay otros dos puntos claves que marcan la diferencia entre esas dos tradiciones.

El primero tiene que ver con el modo en que se entiende la ley de Dios, su relación con el evangelio, y su uso presente. Lutero recalca dos usos o funciones principales de la ley. Uno de ellos es ponerle límites al pecado humano, de tal modo que haya el orden necesario tanto para la vida social como para la predicación del evangelio. El otro es mostrarnos la profundidad de nuestro pecado. Por razón de ese pecado la ley, que como manifestación de la voluntad de Dios debió haber sido dulce y agradable, se vuelve palabra de condenación. Esa palabra de condenación nos lleva al evangelio, palabra de gracia. Pero esa misma palabra también puede ser utilizada por el maligno para llevarnos a la desesperación y hasta a odiar al Dios que da tal ley. El evangelio es la palabra de Dios que nos hace saber que la ley ya ha sido cumplida, que su cumplimiento no depende de nosotros, y que por tanto la ley ha perdido su poder para llevarnos a la desesperación. Luego, la ley no se limita al Antiguo Testamento, ni el evangelio al Nuevo, sino que dondequiera que hay palabra de condenación hay ley, y doquiera hay palabra de gracia hay evangelio.

Por su parte, Calvino no subraya la tensión dialéctica entre la ley y el evangelio como lo hace Lutero. En su uso más frecuente, cuando Calvino dice "ley" se refiere a la dada por Dios al antiguo Israel; y cuando dice "evangelio", éste es la buena nueva de Jesucristo. Luego, mientras Lutero tiende a subrayar la tensión entre ley y evangelio, Calvino tiende a subrayar su continuidad. La antigua ley ceremonial apuntaba hacia Jesucristo, sin cuyo sacrificio todo otro sacrificio es en vano. Queda entonces la ley moral, en la que se ve más claramente la continuidad de los propósitos de Dios para su criatura humana. Como Lutero, Calvino sostiene que el "primer uso" de la ley es hacernos ver nuestro pecado, y así llevarnos al evangelio. La ley nos muestra que no debemos ni podemos confiar en nuestra propia bondad, sino sólo en la gracia de Dios. En segundo lugar, al igual que Lutero, Calvino ve un "segundo uso" de la ley, que consiste en refrenar a los malvados y sostener el orden social.

Pero hay un "tercer uso" de la ley, que es hacerles saber a los creyentes cuál es la voluntad de Dios. Cuando los creyentes escuchan la ley, no ven ya en ella sólo una palabra de condenación, sino también y sobre todo una promesa de Dios y una palabra de guía. La ley es válida para el creyente, quien ha de esforzarse en cumplirla, no ya para alcanzar la salvación, sino para conformarse a la voluntad de Dios.

Esto tiene a su vez dos consecuencias importantes. La primera es que, puesto que la ley es todavía válida tanto para el orden social como para los creyentes, estos últimos han de hacer todo cuanto puedan a fin de que el orden social se ajuste a la ley. Esta visión de la ley y de su función para los creyentes es una de las razones por las que el calvinismo, a diferencia del luteranismo, les prestó impulso a movimientos revolucionarios en lugares tales como Holanda, Escocia, Inglaterra y lo que hoy son los Estados Unidos.

Y cabe notar que en este punto Wesley concordaba plenamente con Calvino. Al enfrentarse a la esclavitud, y en su análisis de la economía británica, Wesley siempre pensó que la santificación no era sólo un proceso personal, sino que tenía también dimensiones sociales —lo que más tarde los metodistas, citándole un poco fuera de contexto, dieron en llamar "esparcir la santidad por todo el territorio".[13]

La segunda consecuencia importante del modo en que Calvino entiende la función de la ley es el énfasis en la santificación. Aun cuando el creyente es justificado gracias a la justicia y los méritos de Cristo, que Dios le imputa al pecador, esa justificación no es sino el punto de partida de toda una vida de santificación bajo la dirección de la ley de Dios. El propósito de la vida cristiana no es sólo la salvación, sino la santificación, el ajustarse más y más a la voluntad de Dios. Como Calvino mismo dice, "ciertamente es el deber de todo cristiano ascender más allá de la mera búsqueda y seguridad de su propia salvación".[14] La justificación no es la meta de la vida cristiana, sino más bien el comienzo de una vida de santificación, de una vida que busca reflejar cada vez más la imagen de Dios en el ser humano. La ley no sólo conduce a la convicción de pecado, sino que también sirve de guía en el proceso de la santificación.

En este punto hay una diferencia marcada entre Lutero y Calvino. Lutero, sobrecogido por la experiencia de una justificación absolutamente inmerecida, temió siempre que un énfasis excesivo en la santificación pudiera llevar de nuevo a la justificación por las obras. En contraste Calvino, insistiendo

---

13 Palabras de Wesley en una carta a uno de sus seguidores, 16 de septiemre, 1774 (*Works,* 12:297). Digo que las palabras se citan fuera de contexto, porque en esta carta Wesley está hablando de la obra de Dios esparciendo la santidad personal por todo el territorio. Pero aunque estas palabras mismas no tengan ese sentido, ciertamente Wesely entendía la santificación no sólo en términos de la relación del individuo con Dios, sino también en términos de buscar la justicia social y económica.

14 Respuesta a Sadoleto.

en el tercer uso de la ley, sostenía que una justificación sin santificación era una contradicción; y que, aunque la justificación misma era santificadora, esto no obviaba la necesidad de un proceso en el que tanto el creyente mismo como la iglesia toda son santificados por obra el Espíritu Santo. En palabras del propio Calvino:

> Declaramos que cuando Dios nos reconcilia consigo por medio de la justicia de Jesucristo, y mediante la gratuita remisión de los pecados nos declara justos, su buena voluntad es tal que a esa misericordia va unida otra bendición: que mediante su Santo Espíritu Dios habita en nosotros, y que por su poder las concupiscencias de nuestra carne son mortificadas cada vez más de día en día, y que así somos santificados, es decir, consagrados al Señor en vidas de verdadera pureza, y con corazones dispuestos a obedecer la ley.[15]

Es por esto que, mientras el peligro del luteranismo extremo ha sido siempre el antinomismo, el del calvinismo ha sido el legalismo.

Entre estas dos tendencias, la postura de Wesley resulta interesante. Si por un lado, como vimos en el capítulo anterior, veía peligrosas tendencias antinomianas en el *Comentario a la Epístola a los Gálatas* de Lutero, por otro la experiencia de Aldersgate, y del perdón y el gozo gratuitos allí recibidos, le llevaba a rechazar el legalismo de muchos de sus contemporáneos de tendencias puritanas. Tal fue el caso, por ejemplo, de William Law, a quien Wesley leyó ávidamente en su juventud, y cuya obra respetó y admiró lo suficiente como para incluirla entre los cincuenta libros selectos de su *Biblioteca cristiana*. Pocos días antes

---

15 *Inst.* 3.14.9.

de la experiencia de Aldersgate, maduro ya su espíritu para esa experiencia, y convencido de que todos su esfuerzos por alcanzar la salvación de nada le valían, Wesley le escribió a Law:

> Llevo dos años predicando según el modelo de sus dos tratados prácticos. Y todas las personas que me han escuchado han quedado convencidas de que la ley es grande, maravillosa y santa. Pero tan pronto como trataban de cumplirla descubrían que era demasiado excelsa para ellas. . . .
>
> Para remediar esto, les exhorté, y yo mismo lo hice, a que oraran ardientemente por la gracia de Dios, y que hicieran uso de todos los medios de gracia que el sapientísimo Dios ha establecido. Pero así y todo, tanto esas personas como yo nos convencimos cada vez más de que la ley es tal que nadie puede vivir por ella.
>
> Bajo este pesado yugo hubiera yo sufrido hasta la muerte, de no haber sido por un hombre santo a quien Dios me llevó recientemente y que, al escuchar mi queja, inmediatamente respondió: "Cree y serás salvo. Cree en el Señor Jesucristo de todo corazón, y nada te será imposible. Esta fe y la salvación que acarrea es ciertamente un don gratuito de Dios. Pero busca, y hallarás. Desnúdate de todas tus obras, de tu propia justicia, y acude a él. Porque a quien a él acuda, él no le rechazará".
>
> Ahora, señor, permítame que le pregunte, ¿cómo le dará usted cuentas a nuestro común Señor, por no haberme dado nunca tal consejo?[16]

---

16 *Carta a William Law,* 14 de mayo, 1738. *Works,* 12:51.

Resulta interesante notar que esta persona a quien Wesley se refiere era probablemente el moravo Peter Böhler, quien como moravo era de tradición luterana. Luego, de igual modo que fue el eco de Calvino con su insistencia en la santificación lo que libró a Wesley de lo que hubieran podido ser tendencias antinomianas, ahora fue Lutero a través de Peter Böhler quien ayudó a Wesley a salir del impasse de un calvinismo llevado al punto de un legalismo opresivo.

En todo caso, la gran diferencia entre Wesley y Calvino en cuanto a la santificación era la cuestión de si era dable llegar a un estado de perfecta santificación en esta vida. Tanto Calvino como los calvinistas —y muchos arminianos— lo negaban. Wesley, en contraste, no sólo afirmaba tal posibilidad, sino que insistía en la necesidad de predicarla. Sin tal predicación, decía él, "los creyentes se vuelven fríos y muertos". Y hay que buscarla y esperarla en esta vida, pues "esperarla en el momento de la muerte, o después de la muerte, es lo mismo que no esperarla".[17]

Buena parte de los escritos de Wesley se dedicaron a explicar y defender esta controvertida doctrina. En esos escritos, Wesley trata de definir lo que entiende por tal perfección, y por qué insiste en que se ha de predicar. En cuanto a esto último, como se ve en las palabras de Wesley que acabo de citar, lo que le preocupaba era la posibilidad de que, por pensar que la perfección es inalcanzable, los creyentes se desinteresaran en el proceso de su propia santificación. Y además le parecía que las Escrituras mismas, particularmente la Primera Epístola de Juan, le obligaban a sostener tal perfección.

En cuanto a la definición de la perfección cristiana, Wesley aclara ante todo que tal perfección no quiere decir que se sepa

---

17 *Diario,* 15 de septiembre, 1762. *Works,* 3:113.

todo, o que no se cometan errores tanto prácticos como doctrinales, o que no se haga nada indebido. Y tampoco quiere decir que se esté libre de tentaciones, o que ya no sea posible pecar, o que, una vez alcanzada tal perfección, ya no se pueda perder ni haya más progreso que buscar. Se trata más bien, según dice él, de una "perfección en amor", es decir, un estado de santificación tal, que se está en comunión constante con Dios y por ello se actúa sobre la base del amor. Por eso, cuando se le pedían ejemplos de personas que hubieran alcanzado la perfección cristiana, repetidamente daba los nombres de Gregorio López, al tiempo que por ser católico le consideraba "muy santo, pero muy errado"[18] y del Marqués de Renty, también católico. Ambos, a pesar de sus errores doctrinales, llegaron a estar en constante comunión con Dios, y por tanto bien merecían mencionarse como personas que habían alcanzado la perfección cristiana.

Pero Wesley también rechazaba categóricamente lo que algunos decían, que una vez alcanzada la perfecta santificación ya no había tentaciones, y que por tanto tal perfección no podía perderse. Según había visto en algunas de las sociedades metodistas, tal predicación podía llevar no sólo a un orgullo santurrón, sino también al libertinaje, pues quien no fuera capaz de ser tentado tampoco podría pecar, no importa lo que hiciera. Por eso Wesley insiste en que la perfección cristiana no es tal que no se pueda seguir avanzando en ella, o que no pueda perderse.

Por otra parte, al tiempo que se ha de predicar sobre la necesidad de perseguir esa meta de la perfección, Wesley nunca quiso dar a entender que tal perfección en la vida presente fuera experiencia común entre los creyentes, o que quien

18 *Diario,* 8 de agosto, 1742. *Works,* 1:395.

no la tuviera no fuera verdadero creyente. Él mismo nunca pretendió haberla alcanzado. Cuando se le pedían ejemplos de quienes hubieran alcanzado la perfecta santificación mencionaba a los ya referidos Gregorio López y Marqués de Renty, y también a su difunto amigo John Fletcher, de quien dijo al predicar en ocasión de su muerte:

> Sólo quiero señalar que por largo tiempo no tuve esperanza de poder encontrar en Gran Bretaña un solo habitante que se pudiera comparar en modo alguno con Gregorio López o con el señor de Renty. Pero que cualquier persona imparcial juzgue si el señor Fletcher fue en modo alguno inferior a ellos. ¿No tuvo la misma experiencia de una comunión profunda con Dios?[19]

Volviendo entonces a nuestro tema central, y para afianzar lo dicho hasta aquí, al tiempo que rechazaba los famosos cinco puntos que definían el calvinismo de su tiempo, en casi todo lo demás Wesley era fiel seguidor y exponente del resto de la teología de Calvino. Esto es cierto de su énfasis en el valor permanente de la ley y en el proceso y necesidad de la santificación —aunque en cuanto a esto último Wesley difería de Calvino en su afirmación de que la perfección cristiana era alcanzable en esta vida.

Ya en vida de Wesley, pero sobre todo después de su muerte, sus seguidores debatieron y siguen debatiendo el tema de la perfección cristiana. En ese debate, un bando parecía pensar que el énfasis de Wesley en la perfección cristiana fue una aberración, y por tanto se desentendió de él. Otro bando colocaba la perfección al centro mismo de su predicación, y parecía dar por sentado que la perfección es relativamente

---

19 *Sermón* 133. *Works,* 7:448.

común, de modo que una iglesia en la que no haya tal perfección debe rechazarse, y que un cristiano que peque no es verdadero cristiano. Más adelante, un bando optó por subrayar la santificación del orden social, sobre la cual Wesley ciertamente insistió, y otro optó por la santificación personal y por desentenderse de las realidades económicas y políticas cuya santificación Wesley también buscó e invitó a sus seguidores a buscar.

Todo esto puede resumirse diciendo que, de igual modo que Calvino no era calvinista, ¡tampoco Wesley era wesleyano!

3
Juan Wesley y el "Cuadrilátero wesleyano"

Todas las personas saben que uno de los temas que más se discutieron en tiempos de la Reforma fue el de la autoridad de la tradición cristiana. Lo que es más, resulta fácil trazar todo un escalafón de las distintas posturas teológicas surgidas en tiempos de la Reforma sobre la base de la autoridad que cada una de ellas le concede a la tradición: primero el catolicismo tridentino, después el anglicanismo, seguido del luteranismo y luego de la tradición reformada, para llegar por fin al anabaptismo.

¿Qué entonces de Juan Wesley, a quien le tocó vivir doscientos años después de la Reforma? ¿Qué pensaba él de la tradición, de su uso, autoridad y contenido? Al plantear tal pregunta, muchos metodistas responderán citando el famoso "cuadrilátero wesleyano", según el cual la teología ha de basarse en cuatro fuentes: las Escrituras, la tradición, la razón y la experiencia. Pero lo cierto es que Wesley nunca propuso tal cuadrilátero, sino que quien acuñó esa frase fue el teólogo metodista norteamericano Albert Outler, quien primero la propuso, en el año 1964. Veinte años después de proponer este "cuadrilátero", el propio Outler declaraba:

> El término "cuadrilátero" no aparece en todo el corpus de las obras de Wesley, y más de una vez me he lamentado de haber acuñado esa frase, que ha sido tan mal interpretada.[1]

Lo que Outler tanto lamentaba era la implicación de que en tal cuadrilátero cada costado tenía igual importancia que los demás, de modo que no había jerarquía entre ellos, y cada cual podía poner al centro de su teología cualquiera de los cuatro elementos del cuadrilátero que fuera de su preferencia. Así, dentro del metodismo mismo encontraron lugar toda clase de posturas, desde el biblicismo fundamentalista, pasando por un tradicionalismo de corte anglo-católico, hasta llegar a un solipsismo en el que lo único que importa es mi experiencia. Esto nunca había sido la intención de Outler, ni era tampoco fiel al pensamiento de Wesley.

Como todo protestante, y como todo anglicano, Wesley afirmaba la suprema autoridad de las Escrituras, como la expresaba el sexto de los *Treinta y nueve artículos* de la Iglesia de Inglaterra:

> La Escritura Santa contiene todas las cosas necesarias para la salvación. De modo que cualquiera cosa que ni en ella se lee ni con ella se prueba, no debe exigirse de hombre alguno como artículo de fe, ni ser tenida por requisito para la salvación.

Pero Wesley también estaba bien consciente de que prácticamente toda herejía en la historia del cristianismo había reclamado bases bíblicas, y que por tanto había que establecer parámetros para la interpretación de esas Escrituras

---

1 "The Wesleyan Quadrilateral in Wesley," *Wesleyan Theological Journal,* vol. 20, No. 1 (Primavera, 1985), 16.

cuya autoridad es tal que él mismo las llamaba "los oráculos de Dios".

El más importante de esos parámetros para la interpretación de las Escrituras tiene que ver con la Biblia misma. La Biblia tiene un mensaje central, y ese mensaje no ha de contradecirse. Una frase que Wesley usa repetidamente en este contexto es "the tenor of Scripture" —el tenor, o más bien el tono o el sentido general, de las Escrituras. Lo que esta frase quiere decir es que el principal propósito al leer la Biblia no es encontrar aquí o allá textos que prueben un punto u otro. En medio de sus muchas controversias, Wesley podía citar tales textos como el que más. Pero en tiempos más sosegados lo que le interesaba no era que la Biblia probara uno u otro detalle de doctrina, sino que la Biblia les diese forma a las vidas de los creyentes y de la iglesia. Es para esto que hay que escuchar "el tenor", o el sentido general, de la Biblia —sentido general que ciertamente encontramos en pasajes particulares, pero que no se limita a uno u otro pasaje. Como muchos otros han dicho, la Biblia ha de interpretarse a la luz de sí misma. Y esto ha de hacerse utilizando las mejores herramientas a nuestra disposición —las lenguas originales, los buenos comentarios, etc.

Pero así y todo, resultaba claro que cualquier pasaje de la Biblia podía interpretarse de diversos modos. Y esto no sólo en el sentido de lo que hoy llamamos polisemia, sino también en el sentido de que del mismo pasaje se podían sacar conclusiones mutuamente contradictorias. Esto podía verse, por ejemplo, en la historia del Concilio de Nicea, en el que tanto los arrianos como sus opositores citaban la Biblia a su favor, y cuando por fin se decidió condenar el arrianismo fue necesario acudir a la formulación de un credo cuyo vocabulario no se encontraba en la Biblia, pero que sí reflejaba el testimonio bíblico, y que por tanto a partir de entonces se emplearía como guía para la interpretación de la Biblia. Dada tal situación, hay otros recursos con los que la iglesia cuenta —y aquí llegamos al resto del famoso cuadrilátero de Outler, que añade otros tres recursos a la Escritura: la tradición, la razón, y la experiencia.

Más adelante volveremos sobre la tradición. Pero por lo pronto cabe anotar que en este punto Wesley era típicamente anglicano, y que estaba convencido de que la tradición podía ayudar al recto entendimiento de las Escrituras. Se sabe que, de entre todas las tradiciones protestantes que surgieron de la Reforma, ninguna le concedió más peso a la tradición que la anglicana, y ninguna se esforzó tanto como la anglicana en conservar tanto de la tradición como fuera posible. Al leer a Wesley resulta claro que su interpretación bíblica, eso que él llama "el tenor de las Escrituras", siempre se ajusta al Credo Apostólico y los otros grandes credos de la iglesia, de modo que ya aquí vamos viendo una relación recíproca entre Escritura y tradición.

En este punto, Wesley era típicamente anglicano, y siguió siéndolo hasta el final de sus días. Luego, cuando regresemos al tema de Wesley y la tradición, lo que nos interesará investigar no es si Wesley le daba o no autoridad a la tradición, sino más bien cómo la interpretaba, cuáles de las diversas corrientes de la tradición de la iglesia más influyeron sobre él, y qué uso le dio a la tradición en diversas etapas de su vida.

Pero antes de regresar al tema de la tradición, conviene detenernos por unos minutos en los otros dos puntos del cuadrilátero de Outler: la razón y la experiencia. En cuanto a la primera hay que aclarar que lo que Wesley entendía por "razón" no era la razón especulativa de filósofos y teólogos que se dedicaban a construir esbeltos edificios sistemáticos que pretendían alzarse al cielo. La "razón" a que Wesley se refería era más bien lo que hoy llamamos "sentido común". Así, por ejemplo, en su polémica contra el catolicismo romano, tras explicar la doctrina del purgatorio, sencillamente se pregunta: "¿Podrá defender o aceptar tal doctrina algún romanista de sentido común?"[2] Y en otro sitio comenta acerca de un grupo que se había dejado llevar por las especulaciones místicas y astrológicas de Jakob Böeme, diciendo que éste "de tal modo había confundido sus mentes, y les había llenado de especulaciones tan sublimes, que habían dejado atrás tanto las Escrituras como el sentido común".[3]

Pero no era tampoco el sentido común de los deístas que estaban dispuestos a creer sólo aquello que pudiera saberse por medio de la razón, y quienes para Wesley eran poco menos que ateos. En el 1773, cuando viajaba hacia Canterbury en coche, Wesley aprovechó la oportunidad para leer la autobiografía de la figura cimera en los orígenes del deísmo inglés, Lord Herbert de Cherbury. Su comentario fue que "comparado con él, Don Quijote estaba cuerdo".[4]

No. La razón no es fuente suficiente ni autónoma para la teología ni para la vida cristiana, sino que es más bien un instrumento dado por Dios para la recta interpretación tanto de la Escritura como de la tradición.

En todo esto, Wesley no estaba diciendo nada nuevo, sino que más bien repetía y afirmaba lo que por largo tiempo había sido la postura de la Iglesia de Inglaterra. Así, por ejemplo, ya en el siglo dieciséis, doscientos años antes de Wesley, el teólogo anglicano Richard Hooker había declarado que la primera autoridad en la iglesia es la Escritura, a lo que sigue la tradición o "voz de la iglesia," aunque siempre de manera congruente con la razón.

---

2 *Diario,* 31 de agosto, 1738. *Works,* 1:157.

3 *Diario,* 27 de febrero, 1738. *Works,* 2:46.

4 *Diario,* 6 de diciembre, 1773. *Works,* 4:5.

El énfasis en estos tres puntos, la Escritura, la tradición y la razón, dentro de la tradición anglicana fue tal, que hay quien afirma que la esencia de esa tradición está en la combinación de estos tres. De ahí ha surgido la metáfora de "the three-legged stool", la banqueta de tres patas, paralela al cuadrilátero wesleyano —aunque, de igual modo que Wesley nunca habló de tal cuadrilátero, la famosa banqueta tampoco se encuentra en los escritos de Hooker ni de sus contemporáneos.

Todo esto quiere decir que el mal llamado "cuadrilátero wesleyano" es en fin de cuentas la banqueta anglicana de tres patas, a la que Wesley añadió otro elemento: la experiencia. Su propia experiencia le había convencido de que es posible creer y afirmar todo punto de doctrina, sin que esto toque el corazón. Así, refiriéndose a la religión del corazón, dice en uno de sus sermones:

> Digo del corazón, porque la religión no consiste en la ortodoxia o las opiniones correctas. . . . Se puede ser ortodoxo en cada punto; se puede apoyar no sólo las opiniones correctas, sino también defenderlas celosamente de sus opositores. . . . Se puede incluso ser tan ortodoxo como el diablo (aunque no tanto; pues . . . no podemos concebir que el diablo tenga alguna opinión errónea), y sin embargo estar tan lejos de la religión del corazón como lo está él.[5]

Y, en su *Diario*, Wesley cuenta de una conversación con Spangenberg ya citada en la que esto se ve claramente en su experiencia pasada:

> Me dijo: "Mi hermano, ante todo debo hacerte un par de preguntas: ¿Tienes tú el testimonio en tu fuero

5 *Sermón* 7. *Obras,* 1:135-36.

interno? ¿Le da el Espíritu testimonio a tu espíritu, de que eres hijo de Dios?"

Yo quedé sorprendido, y no sabía qué contestarle. Él lo notó y me preguntó: "¿Conoces a Jesucristo?"

Tras una pausa le dije: "Sé que es el Salvador del mundo".

"Cierto", me respondió. "Pero, ¿sabes que te ha salvado a ti?"

Le contesté: "Tengo la esperanza de que ha muerto para salvarme".

Él sencillamente añadió: "¿Pero lo sabes por cuenta propia?"

Le dije: "Sí". Pero me temo que eran palabras vanas.[6]

Años más tarde, en su famoso sermón "El casi cristiano", Wesley reafirmaba la diferencia entre la fe que él mismo tenía en tiempos de aquella conversación y la que ahora conocía. Allí dice que es posible ser perfectamente decente, creer todas las doctrinas de la iglesia, hacer todo cuanto se pueda en bien de los demás, asistir a la iglesia regularmente, dedicarle cada día un tiempo a la comunión privada con Dios, leer la Biblia con regularidad y ser absolutamente sincero, y sin embargo ser todavía "casi cristiano". Lo que falta todavía es el amor a Dios, el amor al prójimo, y la fe —amor y fe de que Wesley se sintió incapaz antes de la experiencia de Aldersgate.

Bien se ha dicho entonces que lo que Wesley le añade a la famosa banqueta anglicana es el énfasis en la religión del corazón, en la necesidad de una relación personal con Dios.

Pero aquí conviene una palabra de advertencia. Wesley nunca colocó la experiencia por encima de la Escritura, o de la tradición, o de la razón, ni tampoco la equiparó con ellas.

---

6 *Diario,* 7 de febrero, 1736.

La experiencia es necesaria, sí. Pero la experiencia no ha de contradecir el tenor de la Escritura, ni lo mejor de la tradición, ni el sentido común. Es por esto que, de entre las muchas acusaciones que se hacían contra él, ninguna le molestaba tanto como la de "entusiasta".

En tiempos de Wesley, la palabra "entusiasta" todavía conservaba mucho de su sentido original. No quería decir, como hoy, entregarse a una causa con dedicación, celo y vigor, sino que quería decir más bien pretender ser guiado por una inspiración directa e interna, más allá o aun en contra de las Escrituras, de la tradición y de la razón. Para el entusiasta, la "experiencia" era una revelación directa de Dios —revelación privada y privatizante que, según Wesley veía las cosas, era poco más que una demencia disfrazada de religión.

La "experiencia" a que Wesley se refiere es todo lo contrario. Es una experiencia que lleva al creyente a amar a Dios y al prójimo, a estudiar la Escritura con más ahínco, a relacionarse más estrechamente con la comunidad de fe, y por tanto a relacionarse también más estrechamente con la tradición de esa comunidad.

Y esto nos lleva de nuevo a la tradición. Ya hemos dicho que Wesley siempre le dio a la tradición una autoridad semejante a la que le daba toda la Iglesia de Inglaterra. En su juventud, según él mismo diría después, casi pensaba que salvar almas fuera del edificio de la iglesia era pecado.[7] Cuando, en sus años maduros, dio el paso atrevido de ordenar a algunos de sus seguidores, en contra de la tradición y de la disciplina de la Iglesia Anglicana, no lo hizo apelando a su propia autoridad, sino más bien a una tradición que estaba convencido era más antigua que la que ahora violaba.

---

7 *Diario,* 29 de marzo, 1739.

El mejor estudio que conozco acerca del modo en que Wesley hace uso de la tradición es el del profesor Ted Campbell, *John Wesley and Christian Antiquity* —Juan Wesley y la antigüedad cristiana.[8] Allí Campbell cita unas palabras de Wesley que aparecen sólo en una hoja suelta, aparentemente escrita en su juventud, cuando Wesley estaba todavía en Oxford. Wesley fue siempre un estudioso de la antigüedad cristiana, no sólo por curiosidad anticuaria, sino porque se proponía llamar a la iglesia a una restauración de aquella antigüedad. En el documento a que me refiero Wesley, aparentemente basándose en las mal llamadas *Constituciones apostólicas*, hizo una lista de seis puntos que se prometía observar, como él mismo dice, "siempre que pueda hacerlo sin romper comunión con mi propia iglesia". Estos seis puntos eran bautizar por inmersión,[9] celebrar la comunión incluyendo varios ritos que se conservaban en la iglesia oriental, pero se habían abandonado en el Occidente,

---

8 Nashville: Kingswood Books, 1991.

9 Nótese que lo que le preocupa aquí a Wesley no es la cuestión del bautismo de párvulos, que nunca rechazó ni criticó. Lo que le interesaba era más bien la forma del bautismo. La iglesia occidental había bautizado a los párvulos por inmersión hasta bien avanzada la Edad Media. La iglesia oriental todavía conserva esa práctica. En cuanto a los adultos, lo más común era —y sigue siendo en la iglesia oriental— que la persona que recibía el bautismo entrara al agua, se arrodillara, y entonces se le vertiera agua sobre la cabeza tres veces. En cuanto a Wesley, aunque aparentemente siempre prefirió el bautismo por inmersión, no insistió en él. En 1736, cuando estaba en Georgia, bautizó a una niña de once años "según la costumbre de la iglesia primitiva, y la ley de la Iglesia de Inglaterra, por inmersión" (*Diario,* 21 de septiembre, 1726; *Works,* 1:25). Y en 1759 anotó que "bauticé a siete adultos, dos de ellos por inmersión" (*Diario,* 21 de marzo, 1759; *Works,* l2:469).

orar por los fieles difuntos,[10] orar de pie los domingos y el día de Pentecostés, observar el sábado, el domingo y el Pentecostés como días festivos y abstenerse de sangre y de ahogado.[11] En otros documentos, le vemos sosteniendo la práctica de la iglesia antigua de ayunar los miércoles y los viernes.[12]

Cada uno de esos puntos merece más larga discusión, lo cual no nos es dado hacer aquí. Pero lo que más nos interesa para nuestro tema no son los puntos mismos, sino el hecho de que las palabras "siempre que pueda hacerlo sin romper comunión con mi propia iglesia" aparecen tachadas. Luego, el documento mismo parece reflejar una lucha interna en el propio Wesley en cuanto hasta qué punto insistiría en lo que le parecía ser la restauración de antiguas tradiciones. Y, tomado en conjunto, indica que para el joven Wesley lo que se requería era sobre todo una restauración de las prácticas rituales de la iglesia antigua —cómo bautizar, cómo celebrar la comunión, cómo orar, etc.

Pero pronto Wesley comenzó a percatarse de que su visión y uso de la tradición no eran del todo adecuados. Estando todavía en Georgia leyó con detenimiento los mal llamados "Cánones apostólicos", que son parte de las *Constituciones apostólicas*, y terminó declarando que "antes les di más crédito del debido" —en lo cual concordaba con la mejor erudición de la época, que comenzaba a afirmar que las llamadas *Constituciones apostólicas* no eran tan antiguas como pretendían, sino

---

10 Práctica que nunca abandonó, aunque dejó bien claro que no lo hacía pidiendo la salvación de los difuntos, sino más bien como una expresión de la comunión de los santos de todos los siglos.

11 Más tarde abandonó la resolución de abstenerse de sangre y de ahogado.

12 Lo cual era su práctica desde los tiempos del "Club Santo" en Oxford.

que eran más bien producto de fines del siglo cuarto. A consecuencia de todo esto, en un manuscrito de principios de 1738 que cita el erudito Albert Outler,[13] Wesley llega a la conclusión de que el uso que hasta entonces ha estado haciendo de la tradición de la iglesia antigua no es correcto por varias razones. La principal de ellas es que ha caído en el error de darle a la tradición de la iglesia antigua una autoridad paralela a la de las Escrituras. Además, algunos de los escritos que ha empleado no son tan antiguos como antes había pensado, y en todo caso su cronología ha sido demasiado liberal, extendiendo la antigüedad cristiana hasta fines del siglo cuarto. Tampoco ha tomado en cuenta que muchas de las prácticas que se encuentran en los más antiguos documentos no parecen haber sido universales, sino que eran más bien prácticas de una iglesia o región. Y en todo caso ha errado por no haber tomado en cuenta que "la mayoría de esos decretos se adaptaban a ocasiones y tiempos específicos, de modo que al cambiar las circunstancias tales decretos ya no tendrían vigencia".

Todo esto lo resume Campbell como sigue:

> Luego, para el 1737 [es decir, poco más de un año antes de Aldersgate] Wesley había llegado a una visión de la antigüedad cristiana diferente de la anterior. Tras poner en duda la autenticidad de las *Constituciones apostólicas* y de los *Cánones apostólicos*, no le sería tan fácil reclamar autoridad para las prácticas rituales y disciplinarias que antes había defendido. Una vez que se percató de cuán excéntrico había sido su uso de la antigüedad cristiana, a partir de entonces vería esa antigüedad como suplemento a la autoridad de las

---

13 Véase Albert Outler, *John Wesley* (New York: Oxford University Press, 1964), 46.

> Escrituras [más bien que como una autoridad paralela]. Pero todavía seguiría fundamentando su visión religiosa sobre su convicción de la pureza de la iglesia antigua.[14]

Como es sabido, Wesley nunca quiso separarse de la Iglesia de Inglaterra. Durante casi toda su vida insistió en que las sociedades metodistas no debían reunirse el domingo, pues ese era el día en que todos los fieles debían ir a la iglesia para recibir la comunión. Lo que Wesley esperaba era una especie de relación simbiótica, de modo que las reuniones de las sociedades prepararan a sus miembros para recibir la comunión en su iglesia local, y que esa comunión les fortaleciera en la fe y les ayudara a ser mejores metodistas. Por eso los edificios en que las sociedades se reunían no se llamaban "iglesias", sino "capillas". El primero de esos edificios fue una antigua fundición de artillería que Wesley compró en Londres en el 1739 —apenas un año después de la experiencia de Aldersgate— y que retuvo el nombre de "la Fundición" —*the Foundry*. La Fundición vino a ser entonces el cuartel general del movimiento. Casi cuarenta años más tarde, cuando la Fundición había resultado pequeña y el metodismo tenía varios otros lugares de reunión, Wesley predicó en el acto de colocar la primera piedra de una nueva capilla. En ese sermón, como en todo el resto de su vida, afirmó su fuerte resolución de que el metodismo no se separaría jamás de la Iglesia de Inglaterra. Pero al mismo tiempo daba indicios de cuán difícil esa resolución iba resultando. Allí cita a alguien que le había dicho:

> Ésta es la gloria particular del metodismo: que jamás formará una nueva secta o partido por muy conveniente

---

14 *John Wesley and Christian Antiquity,* 40.

> que sea, ni por ninguna razón ni excusa. No permita que nadie le prive de esa gloria.[15]

Y sobre esto Wesley comenta entonces:

> Espero que nadie lo haga mientras yo viva. Pero quien me dio ese consejo lo olvidó completamente en poco tiempo, y casi desde ese mismo día ha estado ocupado en formar congregaciones independientes.[16]

Pero la ironía de todo esto no está únicamente en el contraste entre lo que aquella persona decía y lo que por fin hizo, sino también en lo que estaba ocurriendo en la construcción misma de esa capilla. Hasta ese día, y aún después, Wesley insistió en que el centro del culto cristiano era la comunión, y que por tanto sus seguidores debían ir el domingo al servicio de comunión en sus propias iglesias. Pero la arquitectura de esta nueva capilla no era ya la de un mero lugar de reunión, como las anteriores capillas metodistas, sino que tenía un ábside y un altar como los de las iglesias anglicanas. En otras palabras, aun cuando Wesley se negaba a aceptarlo, el movimiento hacia la ruptura con la Iglesia de Inglaterra se iba volviendo inevitable.

Lo que llevaba inexorablemente hacia esa ruptura no eran cuestiones doctrinales, sino más bien cuestiones de orden. Pocos meses después de la experiencia de Aldersgate, Wesley había comenzado a predicar al aire libre, aun cuando siempre había sentido escrúpulos contra tales prácticas. Esa predicación, a la que acudían multitudes, fue una de las primeras causas de la oposición al movimiento por parte de los anglicanos más conservadores, y a todo lo largo de su vida Wesley se vio obligado a refutar el cargo que se le hacía, de desobedecer las

---

15 *Sermón* 132.2.14; *Works,* 7:428.

16 Ibid.

reglas de la Iglesia de Inglaterra al predicar al aire libre —cargo que frecuentemente iba unido al de "entusiasmo" a que ya me he referido.

Sin embargo, más que la predicación al aire libre, el motivo final de la ruptura fue un proceso que llevó primero al uso de predicadores laicos, después de predicadoras laicas, y por último a la decisión de Wesley de ordenar ministros para los metodistas en Norteamérica.

Aunque se debate si hubo otros antes que él, aparentemente el primer predicador laico metodista fue Tomás Maxfield. La primera referencia de Wesley a Maxfield se encuentra en su *Diario* para el 20 de mayo del 1739, es decir, cuatro días antes del primer aniversario de Aldersgate. Allí dice:

> Temprano en la noche, cuando apenas había empezado a hablar en la calle Nicholas, fui interrumpido por los gritos de uno que había sido "tocado en el corazón", y que con fuertes gemidos pedía perdón y paz. Pero seguí predicando acerca de lo que Dios ha hecho . . . cuando otro cayó. . . . Un joven que estaba en pie detrás, con los ojos fijos en él, se desplomó como muerto. Pero pronto empezó a rugir y a golpearse contra el suelo, de tal modo que seis hombres difícilmente podían retenerle. Su nombre era Tomás Maxfield. Jamás había visto a alguien tan quebrantado por el Maligno. Mientras tanto muchos otros empezaron a gritar al Salvador de todos, que acudiera en su auxilio, a tal punto que el tumulto se expandió por toda la casa —y por algún tiempo por toda la calle. Pero seguí predicando, y antes de las diez la mayoría de ellos había encontrado paz para sus almas.[17]

---

17 *Diario,* 20 de mayo, 1739; *Works,* 1:196-97.

Aunque esa cita nos aparta algo del tema, me parece importante detenernos en ella por unos instantes, pues por un lado da testimonio de los extraños fenómenos que a veces tenían lugar cuando Wesley predicaba, y por otra nos permite ver algo del modo en que el propio Wesley los interpretaba. En cuanto a lo primero, la cita no deja lugar a dudas: había quien gritaba, quien se sacudía violentamente, y quien caía desplomado. En cuanto a lo segundo, tampoco hay lugar a dudas: Wesley no ve tales fenómenos como obra del Espíritu Santo, sino más bien como obra del Maligno que se resiste al Espíritu. Por eso entiende que lo que Maxfield experimenta es que está "quebrantado por el Maligno", y el resultado final de todo el tumulto no es más tumulto, sino más bien que "la mayoría de ellos habían encontrado paz para sus almas". Por eso, aunque tales fenómenos ocurrían en la predicación al público en general, generalmente no ocurrían en las reuniones de las sociedades, ni se esperaba que una persona tuviera tales experiencias repetidamente, ni se veía en ellas manifestación de una santidad especial, sino todo lo contrario: de lo difícil que le estaba resultando a la persona desprenderse de las ataduras del Maligno.

Volviendo entonces al joven Maxfield, la razón por la que Wesley da su nombre es que pronto se volvió uno de sus principales colaboradores. Cuando en el 1740 Wesley se ausentó por algún tiempo de la ciudad de Londres, dejó a Maxfield a cargo de la sociedad que se reunía en la Fundición, para que la guiara en la oración, el estudio bíblico, y la búsqueda de la santidad. Cuando regresó, encontró que Maxfield también estaba predicando. Enfurecido, decidió tomar medidas contra tal cosa. Pero su madre Susana, que siempre había sido tan conservadora como él en asuntos del orden de la iglesia, le dijo:

> Juan, tú sabes bien cuáles son mis sentimientos, y por tanto no tendrás sospecha alguna de que estoy a favor de tal cosa. Pero ten cuidado con lo que haces respecto a este joven. Porque sin lugar a dudas Dios le ha llamado a predicar al igual que te ha llamado a ti. Examina qué frutos su predicación ha dado, y escúchale por ti mismo.[18]

Wesley siguió el consejo de su madre, e hizo de Maxfield uno de sus principales colaboradores hasta que años después, cuando Maxfield se dejó llevar por posturas extremistas, Wesley le desautorizó. Pero en el entretanto el número de predicadores laicos había aumentado rápidamente, al punto que pronto hubo predicadores metodistas por todo el país.

Esto obligó a Wesley, por una parte, a defender su propia acción y su apoyo a tales predicadores; y, por otra, a producir materiales para su guía e instrucción.

En cuanto a lo primero, la postura de Wesley siempre estuvo clara. En el 1745, respondiendo a un extremista que le instaba a apartarse de la Iglesia de Inglaterra, Wesley le dijo:

> Nosotros profesamos, en primer lugar, que obedeceremos todas las leyes de la iglesia . . . siempre que nuestra conciencia nos lo permita. Segundo, que dentro de esos mismos límites obedeceremos a los obispos como ejecutores de esas leyes. Pero a lo que ellos digan que no sea sino su propia voluntad, aparte de esas leyes, no tenemos que obedecer.
>
> Ahora bien, ¿qué de lo que hacemos está en contra de tal postura? ¿La predicación campo abierto? Ciertamente no. Eso no se opone a ninguna ley que

---

18 Citado en Thomas Coke, *The Life of the Rev. John Wesley; Works,* 5:516.

> debamos obedecer. ¿Permitirles a los laicos predicar? No estamos convencidos de que eso se oponga a ninguna de esas leyes. Pero si se les opone, es uno de esos casos a los que ya nos hemos referido, en los que nuestra conciencia no nos permite obedecer.[19]

Empero con eso no bastaba, y por tanto Wesley escribió extensamente en defensa de la predicación laica, y en respuesta a quienes le acusaban de haber violentado la tradición de la iglesia. En cuanto a esto, sus argumentos son esencialmente dos: Primero, que la distinción misma entre el laicado y el clero ordenado no se refiere a la predicación, sino sólo a las funciones sacramentales del clero. En su sermón número 121, "Los profetas y los sacerdotes", Wesley responde a quienes insisten en prohibir la predicación laica sobre la base del pasaje de Hebreos: "y nadie toma para sí esta honra, sino el que es llamado por Dios, como lo fue Aarón" (5.4). Su respuesta es que Aarón fue llamado "a administrar lo sagrado", y no a predicar. En tiempos de Israel, los sacerdotes eran una cosa; y los profetas, otra. En la primera iglesia, quienes fueros esparcidos a causa de la persecución llevaron también consigo el evangelio, y lo predicaron por doquiera fueron. En otro pasaje que hemos citado antes, Wesley pregunta: "¿El Sr. Calvino fue ordenado? ¿Y no eran laicos la mayoría de los que plugo a Dios usar para propagar la Reforma?"

A todo esto se suma el argumento que Wesley considera absolutamente irrefutable: esa predicación laica, que existió en la iglesia antigua, se hace necesaria hoy en vista de la necesidad del pueblo de Inglaterra, y Dios la ha refrendado indudablemente al llamar a tales personas a la predicación.

---

19 *Diario,* 27 de diciembre, 1745; *Works,* 2:5.

Y si alguien objeta que estos predicadores laicos no tienen los estudios necesarios, pues no han estudiado teología en las universidades, como los clérigos, Wesley le responde, como lo hace en una carta de 1748 dirigida a un clérigo anónimo, con un ejemplo tomado de la medicina:

> Pero supongamos que hay un caballero criado con todas las ventajas de la educación en la universidad de Dublin quien, tras pasar todas las pruebas usuales, ha recibido autorización para salvar almas de la muerte.
>
> Y supongamos que . . . tras predicarles por varios años a quinientas o seiscientas personas, no ha apartado a una sola de ellas de sus errores.
>
> . . . ¿Condenará usted a quien, con cierto conocimiento del evangelio de Cristo y movido por compasión de las almas que mueren, sin cargo ni cobro alguno, salva de sus pecados a aquellos a quienes el ministro no pudo salvar? ¿Le condenará usted?[20]

Y Wesley termina su argumento con una anécdota que bien vale la pena citar:

> Cuando un campesino comparecía ante el colegio de los médicos parisienses, un doctor muy ilustrado le preguntó: "Mi amigo, ¿cómo pretende usted prescribir remedios a quienes sufren de fiebres intermitentes? ¿Sabe usted lo que es una fiebre intermitente?"
>
> A lo que el campesino respondió: "Sí, señor. Una fiebre intermitente es algo que yo puedo curar, y usted no".[21]

---

20 *Carta a un clérigo. Works,* 8:496.
21 Ibid., 498.

Esto no quiere decir que Wesley no sintiera profundo respeto por los estudios, ni que pretendiera que la ignorancia fuera una virtud. Al contrario, él mismo fue siempre estudioso no sólo de la Biblia, sino también de los más antiguos escritores cristianos, cuyas obras leía en sus idiomas originales. Además siempre mostró una activa curiosidad intelectual que le llevaba a estudiar desde los fenómenos geológicos hasta los fenómenos eléctricos que en la misma época investigaba Benjamín Franklin.

Además, frecuentemente tuvo que enfrentarse al hecho de que algunos predicadores laicos predicaban doctrinas inaceptables. Uno de ellos fue el ya mentado Tomás Maxfield, a quien a la postre tuvo que expulsar de las sociedades metodistas. Muchos otros eran personas ávidas de aprendizaje, pero carentes de estudios formales. Fue para ellos que Wesley produjo muchas de sus obras. Fue para ellos que publicó su primera colección de sermones, con la esperanza de que esos sermones no sólo les sirvieran de ejemplo, sino que también les ayudaran a distinguir la verdadera doctrina de la falsa. Y fue para ellos que publicó su *Biblioteca cristiana*, una colección de cincuenta volúmenes que esperaba que todos sus predicadores leyeran, y que él mismo había traducido, editado y enmendado según le parecía necesario para su propósito de servir de guía a los predicadores laicos metodistas.

Pero no todos los predicadores laicos eran varones.[22] Un buen número de las primeras sociedades metodistas fueron fundadas por mujeres, quienes dirigían sus reuniones. Cuando

---

22 En décadas recientes se han publicado numerosos estudios sobre el liderato femenino en los albores del metodismo. Susan M. Eltscher ha editado una amplia bibliografía sobre el tema: *Women in the Wesleyan and United Methodist Traditions* (Madison, NJ: General Commission on Archives and History, 1992). De interés particular es la obra de Paul Chilcote, *Her Own Story: Autobiographical*

Wesley publicó sus sermones con el propósito de que sirvieran de guía a sus predicadores laicos, y algunos de entre estos sencillamente leían en voz alta los sermones de Wesley, hubo mujeres que hacían lo mismo en sus sociedades. De ahí, algunas pasaron a expresar sus palabras de testimonio en lo que a todas luces era un sermón.

La primera de ellas fue la Sra. Sarah Crosby, quien había sido líder de sociedades metodistas en Leeds y en Londres. En el 1761, cuando tenía poco más de treinta años de edad, tenía la dirección de una sociedad metodista en Derby. Normalmente, sus reuniones atraían a unas treinta personas con quienes ella oraba y conversaba acerca de las luchas espirituales de cada cual. Pero su fama se corrió, y un buen día, cuando se preparaba a dirigir una reunión, se sorprendió al ver que había casi doscientas personas presentes. Ante la imposibilidad de hablar personalmente con cada una de ellas, según ella misma cuenta:

> Tuve un sentimiento amoroso y sobrecogedor de la presencia del Señor. No estaba segura si estaría bien exhortar en público de este modo. Pero no era posible hablarle personalmente a cada individuo. Por lo tanto dirigí un himno, oré, y les conté parte de los que el Señor había hecho por mí, persuadiéndoles a huir de todo pecado.[23]

Aun cuando ella misma no estaba segura de lo que estaba haciendo, su audiencia sí lo estaba, pues a la semana siguiente otra vez hubo una asistencia extraordinaria. Aquello la convenció, y escribió: "Mi alma se alegró hablándole al pueblo, pues

---

Portraits of Early Methodist Women (Nashville: Kingswood Books, 2001).

23 Citado en Paul Chilcote, *Her Own Story,* 79.

mi Señor me había librado de todo escrúpulo respecto a si estaba bien que actuara en público de tal modo".[24] Entonces le escribió a Wesley: "Si yo no creyera que tengo un llamamiento extraordinario, no actuaría de manera tan extraordinaria".

La respuesta de Wesley es interesante:

> La Señorita ______ me dio la carta suya el miércoles en la noche. Hasta la fecha, no creo que haya ido usted demasiado lejos. No pudo haber hecho menos. Creo que todo lo que puede hacer, cuando se reúna con ellos otra vez, es decirles claramente "Ustedes me ponen en una gran dificultad. Los metodistas no permiten a las mujeres ser predicadoras; ni asumo sobre mí tal carácter. Pero tengo que decirles francamente lo que está en mi corazón". Esto obviará en gran manera cualquier objeción. . . . No veo que usted haya violado ninguna ley. Siga con calma y firmeza. Si usted tiene tiempo, puede leerles las *Notas* sobre cualquier capítulo del Nuevo Testamento antes de hablar unas palabras, o uno de los sermones más conmovedores, como otras mujeres lo han hecho desde hace tiempo.[25]

Poco después le daba un consejo parecido a la predicadora Grace Walton. Y todavía ocho años más tarde, le decía lo mismo a Sarah Crosby:

> Le aconsejo, como lo hice con Grace Walton antes: (1) Ore en privado o en público todo lo que pueda. (2) Aun en público, usted puede entremezclar exhortaciones cortas con la oración; pero manténgase tan alejada como pueda de lo que se llama la predicación. Por lo

---

24 Ibid.

25 *Carta*, 14 de febrero, 1761; *Works,* 12:353.

> tanto nunca escoja un texto. Nunca hable en forma discursiva continua, sin pausa alguna por más de cuatro o cinco minutos. Dígale a la gente, "Tendremos una reunión de oración en tal lugar y tal hora".[26]

En otras palabras, hable, enseñe, exhorte, proclame . . . ¡pero no lo llame predicación!

Pero paulatinamente, en vista de lo que estaba sucediendo, Wesley estaba llegando a una convicción algo más radical. En el 1771, dos años después de la carta a Crosby que acabo de citar, Wesley le escribe a Mary Bosanquet —la misma que diez años antes le había llevado la carta de Crosby, y quien ahora era también predicadora y más tarde se casaría con el entrañable amigo de Wesley, John Fletcher. En esa carta, le dice a la predicadora Bosanquet:

> Creo que la fuerza de su causa descansa en esto: en el extraordinario llamado que usted tiene. Estoy tan seguro de esto como de que lo tiene cada uno de nuestros predicadores laicos; de lo contrario, de ninguna manera yo podría aceptar la predicación de ellos. Está muy claro para mí que toda esta obra de Dios llamada "metodista" es una dispensación extraordinaria de su providencia. Por tanto no me extraña si algunas cosas ocurren en ella las cuales no caben dentro de las reglas comunes de la disciplina. La regla común de San Pablo era "No permito a una mujer hablar en la congregación." Sin embargo, en casos extraordinarios él hizo algunas excepciones."[27]

---

26 *Carta,* 18 de marzo, 1769; *Works,* 12:355.
27 *Carta,* 13 de junio, 1771; *Works,* 12:356.

Todo esto puede dar la impresión de una gran apertura por parte de Wesley —y ciertamente hubo tal apertura. Pero no hay que olvidar que el tradicionalismo anglicano de Wesley era tal que para él la función esencial y exclusiva del ministerio ordenado no era la predicación, sino la administración de los sacramentos. Es el hecho mismo de apartar las funciones sacerdotales de las proféticas, y las sacramentales de la predicación, lo que le permite aceptar la predicación de los laicos, tanto varones como mujeres. La tradición más reciente de no permitirles a los laicos y las mujeres predicar, se supeditaba a la tradición más antigua, en la que tal comportamiento se permitía. Pero todo esto se colocaba bajo el manto de la tradición anglicana, en la cual la celebración del sacramento era función exclusiva del sacerdocio ordenado.

Algo semejante ocurre con el modo en que Wesley se enfrentó a la cuestión de ordenar ministros para enviarles a Norteamérica.[28] Wesley estaba convencido de que la sucesión apostólica era necesaria para que una ordenación fuera válida. Cuando, en su juventud, estaba en Georgia, se mostraba dispuesto a comulgar con los moravos, porque estos habían retenido la sucesión apostólica; pero no con los reformados ni los luteranos. En su diario para el año 1745 se encuentran las siguientes palabras, que expresan lo que sería su convicción por toda la vida:

> Creemos que no estaría bien de nuestra parte administrar el bautismo o la Cena del Señor si no hubiésemos sido comisionados por obispos que creemos pertenecen a una sucesión directa de los apóstoles.[29]

---

28 Sobre este tema, sigo el excelente resumen de Campbell, *John Wesley and Christian Antiquity.*

29 *Diario,* 27 de diciembre, 1745; *Works,* 2:4.

Pero veinticuatro días más tarde anotaba en ese mismo diario:

> Camino a Bristol leí la *Descripción de la iglesia primitiva* de Lord King. A pesar del acendrado prejuicio de mi educación, estoy listo a creer que esta obra es justa e imparcial. Pero si tal es el caso, se sigue que los obispos y presbíteros son (esencialmente) una misma orden.[30]

La inmediata consecuencia práctica de tal visión fue que le permitió a Wesley aceptar el ministerio de aquellas tradiciones protestantes —particularmente presbiterianos y luteranos— que, sin tener obispos, sí podían reclamar una sucesión apostólica a través de sus presbíteros. Por lo pronto, esta perspectiva no tuvo mayores repercusiones.

Pero la situación cambió radicalmente con la independencia norteamericana. Los metodistas habían estado trabajando por años en las antiguas colonias británicas, considerándose siempre parte de la Iglesia de Inglaterra. El propio Wesley se había opuesto a la independencia —en parte porque los norteamericanos blancos reclamaban libertad para sí, pero se la negaban a los esclavos. Pero una vez establecida la independencia como una realidad irreversible, y en vista del regreso a Inglaterra de la mayoría de los ministros anglicanos, Wesley se sintió obligado a tomar medidas drásticas. Así, el 1º de septiembre del 1784 escribió una carta abierta "A nuestros hermanos en América". En esa carta les explica:

> Lo que escribió Lord King en su *Descripción de la iglesia primitiva* me convenció hace años de que los obispos y presbíteros son una misma orden y consecuentemente tienen el derecho de ordenar. Por muchos años me han pedido de vez en cuando que ejercite este derecho

---

30 *Diario,* 13 de enero, 1746; *Works,* 2:6-7.

> ordenando a algunos de nuestros predicadores itinerantes. Pero hasta ahora me he negado, no sólo para mantener la paz, sino porque había decidido violar lo menos posible las reglas de la iglesia nacional a que pertenezco.
>
> Pero el caso es diferente entre Inglaterra y América del Norte. Aquí hay obispos que tienen una jurisdicción legal. En América no hay ninguno, ni tampoco ministros parroquiales. Así que por algunas cien millas a la redonda no hay nadie ni para bautizar ni para ofrecer la Santa Cena. Aquí, por lo tanto, olvido mis escrúpulos, y me siento en completa libertad, siendo que no violo ninguna orden y no invado el derecho de ningún hombre al ordenar y enviar obreros a la cosecha.[31]

Entonces, tras informarles que ha procedido a ordenar los primeros ministros metodistas para América, añade:

> Si alguien me muestra una forma más racional y bíblica para alimentar y guiar esas pobres ovejas en el desierto, con mucho gusto la adoptaré. En estos momentos no veo un método mejor que el que he adoptado.[32]

Como es bien sabido, ésta fue una de las causas que llevaron a la ruptura definitiva entre el metodismo y la Iglesia de Inglaterra. Pero lo que aquí me interesa son dos puntos: Primero, el modo en que el tradicionalista Wesley hace uso de la tradición misma para sobreponerse a las ataduras de la tradición. No está dispuesto a deshacerse ni desentenderse de la sucesión apostólica; pero reinterpreta esa sucesión a la luz de la tradición misma. Y, segundo, me interesa el modo en que

---

31 *Letter to Dr. Coke, Mr. Asbury, and Our Brethren in North America,* 2-3; *Works,* 13:251-52.

32 Ibid.

Wesley, aun respetando la tradición, y haciendo todo lo posible por permanecer fiel a los dictámenes de su iglesia, a la postre toma un paso atrevido, no porque la tradición lo mande, sino porque la misión lo requiere. Sus estudios de la iglesia primitiva le dan base en la tradición más antigua. Pero lo que le impele no son sus estudios de la tradición, sino la necesidad de la grey norteamericana. En una palabra, sin violar la tradición, Wesley permite que lo que guíe sus pasos sea la misión.

El factor común en cada uno de los pasos que tantas críticas provocaron es el requisito de la misión. Wesley predica al aire libre porque la misión así lo requiere. Hace uso de predicadores laicos, tanto varones como mujeres, porque la misión lo requiere. Y por fin se atreve a ordenar ministros, también porque la misión lo requiere.

En consecuencia, me atrevo a sugerir que al famoso cuadrilátero de Outler hay que añadirle un quinto punto que resulta ser particularmente pertinente para el metodismo hoy: la misión. En eso está el genio de Wesley, y el de toda la tradición wesleyana en sus mejores tiempos.

Quizá entonces, en lugar de un "cuadrilátero wesleyano", deberíamos hablar de una "estrella wesleyana" de cinco puntos. Por encima de todos, sin lugar a dudas, está la Escritura. Más abajo, no como factores determinantes, pero sí como comprobantes de la interpretación bíblica, están la experiencia y la razón —la experiencia tanto del individuo como de la comunidad, y una razón que no es especulación privada, sino el sentido común de esa misma comunidad. Entonces, a un lado, está la tradición —tradición variada, que nos ayuda en la interpretación de la Escritura, pero que es al menos tan polisémica como el texto sagrado. Y al otro lado, al lado hacia donde todo se dirige, está la misión. Es la misión la que en fin de cuentas le da forma a la iglesia. Es hacia allá que el todo se dirige. Es ella la que determina en qué modos hemos de usar de la tradición. La Escritura por encima de todo, sí. La razón y la experiencia son el fundamento, sí. La tradición aclara el tenor de las Escrituras, sí. Pero todo tiene un propósito, una dirección; y ese propósito y dirección no son más que la misión, el servicio a Dios mediante la proclamación y la encarnación de las buenas nuevas.

Printed in the USA
CPSIA information can be obtained
at www.ICGtesting.com
LVHW092343260823
756177LV00011B/1472